Met hartelijke groeten van
Avec les compliments de
With the compliments of
Mit freundlichen Grüßen von

HYLLIT HOTEL

ANTWERP

A Portrait of

ANTWERP
ANTWERPEN
ANVERS
ANTWERPEN

FOTO'S PHOTOS PHOTOGRAPHS AUFNAHMEN
VINCENT MERCKX
TEKSTEN TEXTES TEXTS TEXTE
GEORGES-HENRI DUMONT

A Portrait of

ANTWERP
ANTWERPEN
ANVERS
ANTWERPEN

MERCKX

De gilden- en ambachtshuizen die de Grote Markt omgeven, getuigen van het prestige waar ze prat op gingen. Van links naar rechts: *'De Witte Engel'* (1579) en *'De Gulden Mouw'* (van dezelfde periode) gebouwd door de kuipers, beiden verborgen achter de fontein van Brabo, *'Het Huis van Spanje'* (1582) van de gilde van de Oude Voetboog: een heilige Sint-Joris, van de hand van Jef Lambeaux, bekroont de puntgevel. *'De Spiegel'* (1500) was, vanaf 1620, bezit van de kamer van de Handbooggilde : zijn heropbouw werd gerealiseerd in neogotiek. *'De Zwarte Arend'* herbergde de koopliedenverenigingen. In het halverwege de twintigste eeuw gerestaureerde geheel gevormd door *'De Pauw'*, *'De Vos'*, *'De Gulden Hamer'* en *'Den Bonten Mantel'* (onzichtbaar op de foto) waren dan weer, eerst de schermers, dan de hoedenmakers gevestigd.

The houses of the guilds and trades on the city square are evidence of the prestige which they enjoyed. From left to right the houses are *the White Angel* built in 1597, *the Golden Sleeve* built by the coopers at the same time and *the Spanish House* built by the guild of the Old Crossbow. Its gable displays a Saint George sculpted by Jef Lambeaux. From 1620 *the Mirror* belonged to the guild of the Young Crossbow ; it was reconstructed in Gothic Revival. The drapers met in *the Black Eagle* now the tourist bureau, while the group comprised of *the Peacock*, *the Fox*, *the Golden Hammer* and *the Pelisse* were occupied by the swordsmen and later by the hatters.

Les maisons des guildes et métiers qui ceignent la Grand-Place témoignent du prestige dont ils aimaient s'enorgueillir. De gauche à droite : *L'Ange blanc* de 1579 et *La Manche d'or* contemporaine édifiée par les tonneliers, toutes deux dissimulées par la fontaine de Brabo, *la Maison d'Espagne* (1582) de la guilde de la Vieille Arbalète ; son pignon est ponctué par un saint Georges sculpté par Jef Lambeaux. *Le Miroir* (1500) était, à partir de 1620, la propriété de la guilde de la Jeune Arbalète; sa reconstitution a été réalisée en néo-gothique. *L'Aigle noir* abritait les réunions des merciers, tandis que dans l'ensemble formé par *Le Paon*, *Le Renard*, *Le Marteau d'or* et *La Pelisse* (invisible sur la photo), reconstruites au milieu du XXᵉ siècle, étaient logés les escrimeurs puis les chapeliers.

Die Gilde- und Zunfthäuser um den Grote Markt zeugen vom Prestige, auf das man damals stolz war. Von links nach rechts: *Der Weiße Engel* von 1579 und das zur gleichen Zeit von Böttchern erbaute *Der Goldene Ärmel*, beide vom Brabo-Brunnen verdeckt, das *Spanische Haus* (1582) der alten Armbrust-Gilde, dessen Giebel eine von Jef Lambeaux stammende Skulptur des heiligen Georg schmückt. *Der Spiegel* (1500) war ab 1620 Eigentum der jungen Armbrust-Gilde; sein Wiederaufbau erfolgte im neugotischen Stil. *Der Schwarze Adler* war der Versammlungsort der Kurzwarenhändler, während das Mitte des 20. Jh. wiederaufgebaute Ensemble von *Der Pfau*, *Der Fuchs*, *Der Goldene Hammer* und *Der Gehpelz* (auf dem Foto nicht zu sehen) zunächst von der Gilde der Fechter und dann von der Zunft der Hutmacher bewohnt wurde.

"**D**E rijke en dichtbevolkte stad Antwerpen zou zich met recht en reden de hoofdstad van de wereld kunnen noemen", verklaarde in 1549 – in volle Antwerpse Gouden Eeuw – de Castilliaan Juan Calvete de Estrella. Hij overdreef niet. Maar hoe zag de stad er voordien uit ?

Opgravingen in 1974 en 1977 brachten galloromeinse behuizing aan het licht. Doch, drie eeuw later, was de site alweer onbewoond. Voorlopig toch.

Halfweg de 7de eeuw kwam de heilige Amandus, na een slecht onthaal bij de Friezen, op de door Frankische Saliërs bezette haven aan. Op de Scheldegrond stichtte hij een vooruitstrevende post van het Christianisme. De naam Antwerpen kwam toen voor de eerste keer voor op een Merovingische munt. Later spraken documenten uit de 8ste eeuw van *Antwerpo*, *Andawerpo* of *Andawerp*. Het prefix *and*, in het Hoogduits, betekent "tegenover" en *werp* (of *werf*) duidt een fort aan of, meer bepaald, een aarden omwalling.

Vanaf dat ogenblik wijst alles erop dat Antwerpen haar naam dankt aan een verdedigingswerk opgericht op een redelijke afstand van de Schelde. In de 9de eeuw kwam er een andere vesting, deze keer vlak bij de rivier – op haar fundamenten zou het door ons gekende Steen gebouwd zijn – en, in de 12de eeuw, beval de Duitse Keizer Frederik I Barbarossa, opperleenheer van Antwerpen, de constructie van een eerste stadsomheining.

In de 12de en 13de eeuw waren de Deense en Noorse invallen niet meer dan een verre herinnering. Het militaire belang van de stad nam af. Antwerpen werd een echte stad, omringd door grachten die de bevolking tegen veedieven en ander gespuis moesten beschermen. De landbouw domineerde grotendeels het leven van de Antwerpenaren. De ontwikkeling van graan-, boter-, vis- en vleesmarkten kwam op gang. De stad was al een stopplaats voor reizigers tussen Engeland en Duitsland, en weldra zou dit verkeer ook de Hanseaten en de Lombarden aantrekken. Langsheen de kaaien laadde en loste men tonnen, kisten en balen. Een kraan diende om de zwaarste marktwaren op te heffen.

Maar de Vlaamse haven van Brugge werd belangrijker en liet Antwerpen slechts kleine successen. Dit was tot in 1484 het geval : toen de verbinding Brugge en de zee definitief leek te verzanden, begingen de Bruggelingen de fout zich tegen aartshertog Maximiliaan van Oostenrijk, regent van de Nederlanden, te verzetten. Antwerpen volgde haar keizerlijke traditie en koos de zijde van Maximiliaan. Zij deed de goede keuze.

De aartshertog strafte de rebelse Bruggelingen en beloonde de Antwerpenaren door vreemde kooplui naar de havenstad te lokken met de garantie van het behoud van hun vroegere privileges. Vervolgens verleende hij de Antwerpenaren de jurisdictie over hun eigen markten en de belangrijke doortochtvergunning voor de aluinsteen, die gebruikt werd om lakens te verven en huiden te looien. Deze politiek, waarvan de scherpzinnigheid ongetwijfeld groter is dan de duidelijke rancune tegenover de Bruggelingen, had weldadige gevolgen, die twintig jaar later, na de ontdekking van een nieuwe route naar India, aan de oppervlakte zouden komen. Samen met Lissabon en Sevilla werd Antwerpen de grote markt van peper, kaneel en kruidnagel.

In heel die Antwerpse handelsactiviteit hield Engeland echter het hoofd. Engelse kooplieden – de zogenaamde *'Adventurers'* – hadden er tijdens de markten hun eigen kaai, lokaal, Beurs en opslagplaats. Ze waren zo onder de indruk van Antwerpen dat een van hen de boutade lanceerde: "Hang de Engelsen aan de poorten van de stad op en jullie zullen hun zonen zich tussen hun benen zien wringen om op hun beurt Antwerpen binnen te dringen."

Duitse ondernemingen daarentegen specialiseerden zich vooral in metaalprodukten.

Van de glorie van de Gouden Eeuw…

In 1556 werd er niet ver van de Meirplaats een nieuwe Beurs gebouwd. In haar galerijen was een geschreeuw en gemarchandeer in alle Europese talen te horen. Een Antwerpse bankier publiceerde regelmatig de wissel-en aankoopkoersen van de Italiaanse, Duitse, Engelse en Franse effecten. Samen met de territoriale expansie, veranderde ook het stedelijk aanzicht van Antwerpen, en dat vooral onder impuls van een geniale beursspeculant en zakenman. Tussen 1545 en 1553 legde Gilbert van Schoonbeke hele zones aan volgens een rigoureus geometrisch plan, doorbroken met nieuwe straten die elkaar haaks kruisten en rechtstreeks naar het economisch centrum van de stad leidden. Daarnaast zorgde hij ook voor nieuwe havenkwartieren en groef kanalen met toegang tot de kaaien.

Handelaars en bankiers schenen zich op het eerste zicht enkel te bekommeren om kruiden, katoenen en kapitaal, maar in feite droegen ze veel denkbeelden met zich mee en beroemden zich erop doeltreffend hun leermeesters te beschermen. Als 'Open stad voor alle naties' speelde Antwerpen op een natuurlijke wijze een essentiële rol in de culturele beweging van de Renaissance.

Christoffel Plantin is uit Tours (Frankrijk) afkomstig, maar is uiteindelijk even Antwerps als Pieter-Paul Rubens die in Siegen uit Antwerpse ouders geboren werd. De registers en briefwisseling van Plantin tonen goed aan dat in zijn drukkerij de grootste humanisten en geleerden uit Europa samenkwamen : de humanist Justus Lipsius, de geograaf Abraham Ortelius, de botanist Dodoens, de schilder Goltzius, de wiskundige Simon Stevens… *'Labore et constantia'*, door arbeid en doorzettingsvermogen, maar zeker ook door inzicht, bevorderden Plantin en zijn schoonzoon Jan I Moretus het omverwerpen van de kennis van hun tijd en verzekerden het prestige van het humanisme in de Nederlanden. In 34 jaar tijd publiceerde Plantin 1863 werken.

...tot de geboorte van twee staten

Per definitie bevrijdt het humanisme de geest van het onderwezen dogma en oriënteert ze haar naar de bronnen van de kennis. Via tekstuitgave en tekstverklaring volgde spontaan het verlangen naar een meer rationele godsdienst en kwam bijgevolg de weg voor de Reformatie open. Met haar geleerden die van een goede discussie hielden, en met haar vaste economische relaties met Duitsland, het hart van de lutherse ideologie, werd Antwerpen een brandhaard van het protestantisme in de Nederlanden.

Vanaf dat moment bevond de Scheldestad zich te midden van de politiek-godsdienstige rellen van de 17de eeuw tegen de koning van Spanje Filips II. Deze wilde immers in de 17 Provinciën, verenigd door zijn vader Keizer Karel, de Spaanse centralisatiepolitiek toepassen, met het oog op de vernietiging van elke autonomie. Op 19 augustus 1566 verwoestten de beeldenstormers de kathedraal en de belangrijkste kerken van Antwerpen. Honderden schilderijen, beeldhouwwerken en gravures verdwenen voor altijd.

Terwijl hier een bloedige repressie woedde, geleid door de hertog van Alva, de 'engel des verderfs' van Filips II, werden de Spaanse troepen uit de noordelijke Provincies verdreven, waar men Willem van Oranje, bijgenaamd de Zwijger, tot stadhouder benoemde.

In 1576 kwamen de Spaanse garnizoenen in Antwerpen in opstand en vernietigden de stad. In hun Spaanse furie vonden zo'n 6000 man de dood. Een jaar later namen de calvinisten de macht in Antwerpen over. Maar in vele Brabantse, Henegouwse en Vlaamse steden heerste een katholieke verontwaardiging over de calvinistische uitspattingen. De landvoogd van de Nederlanden Alexander Farnese profiteerde hiervan en ondernam een *reconquista* in het zuiden van de Nederlanden. In het begin van 1584 was er slechts nog Marnix van Sint-Aldegonde, burgemeester van Antwerpen, die weerstand bood. De stad capituleerde op 17 augustus 1585.

De scheiding van de calvinistische Verenigde Provinciën in het noorden en de katholieke Zuidelijke Nederlanden werd reëel in 1648 door de Vrede van Munster die de geboorte van 2 naties inluidde : de Belgische en de Nederlandse. Maar dit alles resulteerde wel in de sluiting van de monding van de Schelde en de teloorgang van de Antwerpse haven tot in 1815.

"Open stad voor alle naties"

Zowel Antwerpen als het geheel van de katholieke Nederlanden kende onder het bewind van de aartshertogen Albrecht en Isabella een periode van voorspoed. Het was de tijd van de triomfen van Pieter-Paul Rubens : niets te Antwerpen werd zonder zijn goedkeuring ondernomen. Wanneer een prins de stad kwam bezoeken, was Rubens belast met het decoreren van de stad. Hij deed het met het enthousiasme van een hartstochtelijke liefde voor een mollige schoonheid...

Hoewel de haven door de Hollanders gemuilband bleef en zo de Gouden Eeuw voor Antwerpen afgesloten werd, zonk de stad toch niet in middelmatigheid af. De handelscontacten met Duitsland en Noord-Italië bleven bestaan. Meer nog : Antwerpse en Milanese ondernemingen beconcurreerden elkaar in het verkrijgen van de controle over de zijderoute. Het zakenmilieu slaagde erin Antwerpen als nationale en internationale markt te behouden. Zo toevallig was het niet dat de aandelen van de kortstondige 'Indische Compagnie', ook 'Oostendse Compagnie' genoemd, in de lokalen van de Antwerpse Beurs werden verkocht. Een ander duidelijk bewijs van enkele grote fortuinen, zijn de talrijke herenhuizen in de 18de eeuw door Jan Pieter van Baurscheit de Jonge gebouwd.

Antwerpen haalde geen enkel voordeel uit de werken die Napoleon begon om er een oorlogshaven tegen de Engelsen te bouwen. En, na de val van het Franse Keizerrijk, was de Holland-Belgische samenvoeging (1814-1830) te kort om er vruchten van te plukken. Men moest dus wachten op de onafhankelijkheid van België, en meer bepaald op de afschaffing van de Scheldetol (1863), vooraleer de havenstad met veel luister haar vroegere plaats weer innam. Door de Scheldemonding met de Noordzee verbonden, heeft de haven het onbetwistbaar voordeel 88 kilometer landinwaarts te liggen, wat een verlaging van de vervoersonkosten en een extra bescherming tegen storm betekent. Daarbij ligt ze op amper honderd kilometer van de Waalse industriebekkens en op nog geen 45 kilometer van Brussel, hoofdstad van Europa, België en Vlaanderen. Via het kanaal Schelde-Rijn is de havenstad direct verbonden met de Duitse, Franse en Zwitserse industiezones. Bovendien ligt ze aan de autosnelweg E 19.

De voorspoed van de haven maakte van de Antwerpenaar terecht een "Sinjoor". Hij is echter altijd al zo geweest en het is aan die zin voor grootsheid, die sommigen jaloers hoogmoed noemen, dat de scheldestad haar fascinerende schoonheid te danken heeft.

«**L**A riche et populeuse ville d'Anvers pourrait à bon droit s'appeler la Métropole du monde», déclara en 1549 – en plein Siècle d'Or anversois – le Castillan Juan Calvete de Estrella. Il n'exagérait nullement. Mais qu'en était-il auparavant ?

Les fouilles entreprises entre 1974 et 1977 ont confirmé l'existence d'un habitat à l'époque gallo-romaine mais, trois siècles plus tard, le site était inhabité. Provisoirement.

Vers le milieu du VIIe siècle, saint Amand qui avait été mal accueilli par les Frisons aborda sur cette jetée qu'occupaient les Francs Saliens. Il en fit un poste avancé du christianisme en terre scaldienne. Le nom d'Anvers apparaît alors pour la première fois, sur une pièce de monnaie mérovingienne et, plus tard, dans des documents du VIIIe siècle sous la forme *Antwerpo*, *Andawerpo* ou *Andawerp*. Le préfixe *anda*, en haut allemand, signifie "en face de" et *werp* (ou *werf*) désigne une forteresse ou, plus exactement, un rempart de terre.

Tout porte dès lors à croire qu'Anvers doit son nom à un ouvrage de défense érigé à une certaine distance de l'Escaut. Une autre forteresse fut bâtie au IXe siècle, cette fois près du fleuve – sur ses fondations sera édifié le Steen que nous connaissons – et, au XIIe siècle, l'empereur d'Allemagne Frédéric Ier Barberousse, suzerain d'Anvers, ordonna la construction d'une enceinte.

Aux XIIe et XIIIe siècles, les incursions danoises et norvégiennes n'étaient plus qu'un lointain souvenir. L'importance militaire du site s'étant atténuée, Anvers devint une véritable ville, ceinturée de fossés qui protégeaient la population contre les voleurs de bétail et autre racaille. L'activité rurale dominait largement la vie des Anversois, d'où le développement de marchés aux grains, au beurre, aux poissons, à la viande. La ville était déjà le lieu de passage des voyageurs entre l'Angleterre et l'Allemagne, et bientôt le trafic attira les Hanséates et les Lombards. Le long des quais, on chargeait et déchargeait tonneaux, caisses et balots. Une grue servait à lever les marchandises les plus lourdes.

Le port flamand de Bruges l'emportait cependant, ne laissant à Anvers que des triomphes passagers. Du moins jusqu'en 1484 : tandis que s'ensablait définitivement la liaison de Bruges à la mer, les Brugeois commirent l'erreur de se révolter contre l'archiduc Maximilien d'Autriche, régent des Pays-Bas. Obéissant à ses traditions impériales, Anvers se rangea du côté de Maximilien. Elle misait juste.

Vainqueur des insurgés brugeois, l'archiduc témoigna de sa gratitude aux Anversois en invitant les marchands étrangers à se fixer dans la cité portuaire sous la garantie de tous leurs privilèges antérieurs. Par la suite, il accorda aux Anversois la juridiction sur leurs propres foires et l'importante étape (c'est-à-dire le droit de passage) de l'alun, qui était utilisé pour teindre les draps et tanner les peaux. Cette politique, où la perspicacité tint sans doute plus de place qu'un apparent ressentiment à l'égard des Brugeois, eut de bienfaisantes répercussions qui se révélèrent deux décennies plus tard, après la découverte d'une nouvelle route des Indes. Avec Lisbonne et Séville, Anvers devint le grand marché du poivre, de la canelle et de la girofle.

Toutefois, dans l'ensemble du commerce d'Anvers, l'Angleterre tenait la tête. Les marchands de ce pays – les *Adventurers* – y avaient leur quai, leur local, leur Bourse et leur entrepôt pendant les foires. Ils étaient fascinés par Anvers au point que l'un d'eux lança cette boutade : «Pendez les Anglais aux portes de la ville et vous verrez leurs fils se bousculer entre les jambes des pendus pour pénétrer à leur tour à Anvers». Quant aux firmes allemandes, elles écoulaient surtout les produits de la métallurgie.

De la gloire du Siècle d'Or ...

Les galeries de la nouvelle Bourse, construite en 1556 non loin de la place du Meir, retentissaient des clameurs et marchandages de toutes les nations européennes. Un financier anversois publiait régulièrement les cours du change et le taux d'achat du papier italien, allemand, anglais et français. Entre-temps, le visage urbanistique d'Anvers s'était transformé en même temps que son expansion territoriale, sous l'impulsion d'un génial spéculateur et homme d'affaire. Entre 1545 et 1553, Gilbert van Schoonbeke aménagea des zones entières selon un plan rigoureusement géométrique, perçant de nouvelles rues qui se croisaient perpendiculairement et menaient directement au centre économique de la cité. Il réalisa en outre de nouveaux quartiers du port et creusa des canaux d'accès aux quais.

Marchands et financiers paraissaient ne se soucier que d'épices, toiles et capitaux mais, en fait, ils drainaient toujours avec eux des idées et se faisaient une gloire de protéger efficacement ceux qui les professent. "Ville ouverte à toutes les nations", Anvers joua tout naturellement un rôle essentiel dans le mouvement culturel de la Renaissance.

Originaire de Tours en France, Christophe Plantin appartient à Anvers autant que Pierre-Paul Rubens né à Siegen de parents anversois. Les régistres et la correspondance de Plantin révèlent que se rencontraient dans son officine les plus grands esprits d'Europe : l'humaniste Juste Lipse, le géographe Abraham Ortelius, le botaniste Dodonée, le peintre Goltzius, le mathématicien Simon Stévin... *"Labore et constantia"*, par le travail et la persévérance, mais aussi la sagacité, Plantin et son gendre Jean Ier Moretus contribuèrent à bouleverser les connaissances de leur temps et à assurer le prestige de l'humanisme dans les anciens Pays-Bas. Au cours des trente-quatre ans de son activité, Plantin publia 1863 ouvrages.

...à la naissance de deux Etats

Par définition, l'humanisme libère l'esprit du dogme appris et l'oriente vers les sources de la connaissance. L'édition et l'exégèse entraînèrent tout naturellement le désir d'une religion plus rationnelle et, partant, ouvrirent la voie à la Réforme. Ville de lettrés accoutumés à la controverse, entretenant des relations économiques constantes avec l'Allemagne, foyer de l'idéologie luthérienne, Anvers devint le creuset du protestantisme dans les anciens Pays-Bas.

La cité scaldienne se situe dès lors au centre de la révolution politico-religieuse du XVIᵉ siècle contre le roi d'Espagne Philippe II, qui croyait pouvoir appliquer dans les Dix-Sept Provinces, réunies par son père Charles Quint, la politique espagnole de centralisation visant à la destruction de toute autonomie. Le 19 août 1566, les iconoclastes – littéralement, les "briseurs d'images" – saccagèrent la cathédrale et les principales églises d'Anvers. Des centaines d'œuvres d'art peintes, sculptées ou ciselées disparurent à jamais.

Pendant que sévissait la répression sanglante dirigée par le duc d'Albe, l'"ange exterminateur" de Philippe II, les troupes espagnoles furent chassées des provinces du Nord dont Guillaume d'Orange, dit le Taciturne, avait été proclamé *stadhouder*.

En 1576, les garnisons espagnoles d'Anvers se mutinèrent et mirent la ville à sac. Leur *furia* provoqua la mort de quelque six mille personnes. Un an plus tard, les Calvinistes prirent le pouvoir à Anvers et dans plusieurs villes de Brabant, Hainaut et Flandre. Nommé gouverneur général des Pays-Bas, Alexandre Farnèse profita de l'indignation des catholiques à l'égard des excès calvinistes pour entreprendre une reconquête des Pays-Bas du sud. Au début de 1584, il n'y avait plus que Marnix de Sainte-Aldegonde, bourgmestre d'Anvers, qui résistait. La ville capitula le 17 août 1585.

La rupture entre les Provinces-Unies calvinistes, au nord, et les Pays-Bas catholiques du sud sera consommé en 1648 par le traité de Munster qui confirmait la naissance de deux nations, la belge et le néerlandaise. Il en résultait malheureusement la fermeture de l'embouchure de l'Escaut et la ruine du port d'Anvers jusqu'en 1815.

"Ville ouverte à toutes les nations"

Pour Anvers comme pour l'ensemble des Pays-Bas catholiques, le règne des archiducs Albert et Isabelle marqua une parenthèse heureuse qui coïncide avec les triomphes de Pierre-Paul Rubens; rien ne se faisait à Anvers sans son avis. Lorsqu'un prince arrivait dans la ville, on chargeait Rubens de décorer la ville avec l'enthousiasme d'un amoureux fervent des beautés opulentes.

Si le port demeurait muselé par les Hollandais, si l'âge d'or d'Anvers était clos, la ville n'en était pas pour autant endormie dans la médiocrité. Les liens noués avec l'Allemagne et l'Italie du nord survivaient. Sociétés anversoises et milanaises se concurrençaient d'ailleurs pour le contrôle de la route de la soie. Un milieu d'affaires réussit à maintenir Anvers comme marché financier national et international. Ce n'était point par hasard que les actions de l'éphémère "Compagnie des Indes", dite d'Ostende, furent mises en vente dans les locaux de la Bourse de la Métropole. Signes apparents de la persistance de certaines grosses fortunes, les nombreux hôtels de maître construits au XVIIIᵉ siècle par Jean-Pierre van Baurscheit le Jeune.

Anvers ne tira aucun profit des travaux initiés par Napoléon en vue de l'aménagement en port de guerre dirigé contre l'Angleterre. Et, après la chute de l'empire français, l'amalgame hollando-belge entre 1814 et 1830 fut trop bref pour donner ses pleins effets. Il fallut donc attendre l'indépendance belge, ou plus précisément la suppression du péage sur l'Escaut en 1863, pour voir la ville portuaire reprendre avec éclat sa place d'antan.

Relié à la mer par l'estuaire de l'Escaut, le port a l'incontestable avantage d'être situé à 88 kilomètres à l'intérieur des terres, ce qui diminue le coût des transferts de cargaisons et met les navires à l'abri des tempêtes. En outre, une centaine de kilomètres à peine le sépare des bassins industriels wallons et Bruxelles, capitale de l'Europe, de la Belgique et de la Flandre, n'est qu'à 45 kilomètres. Via le canal Escaut-Rhin, la cité portuaire est directement en liaison avec les zones industrielles d'Allemagne, de France et de Suisse. L'autoroute E19, qui joint la Scandinavie au Portugal sans interruption, l'effleure.

La prospérité du port a fait de l'Anversois un *"Sinjoor"*. Il en a toujours été ainsi et c'est à ce sens de la grandeur, que certains jaloux qualifient d'orgueil, que la cité scaldéenne doit l'essentiel de sa fascinante beauté.

*I*n Antwerpen doet het tij het Scheldeniveau tweemaal daags vier meter stijgen. Het is veel, maar onvoldoende. Vandaar dat men sluizen heeft gebouwd, zoals deze van Berendrecht, die de grootste ter wereld is.

Antwerpen is de tweede haven van Europa. Zij is het belangrijkse olie-industriecentrum en het verbindingspunt van de westerse handel. Jaarlijks komen er ongeveer 17.000 schepen, die 110 miljoen ton handelswaar vervoeren. In de haven ziet men rijen containers en tanks. Voor alle havenwerken samen, heeft zij een bezetting van zo'n 58.000 man.

À Anvers, deux fois en 24 heures, la marée fait monter le niveau de l'Escaut de quatre mètres. C'est considérable mais ne suffirait pas si l'on n'avait construit des écluses, dont celle de Berendrecht qui est la plus grande du monde.

Deuxième port d'Europe, Anvers est le plus important centre de l'industrie pétrolière et détient la charnière du commerce occidental. Environ 17.000 navires y arrivent chaque année, qui transportent 110 millions de tonnes de marchandises. Réservoirs et conteneurs s'alignent le long des darses. Dans l'ensemble de ses installations, le port occupe quelque 58.000 personnes.

*T*wice every 24 hours the high tide at Antwerp raises the level of the Scheldt by four meters. This is a considerable change but would not be sufficient for deep water ships if locks had not been built. This of Berendrecht is the largest in the world.

Antwerp, the second largest port of Europe and the most important centre of the oil industry, is the pivot of western commerce. Nearly 17,000 vessels dock here each year, transporting 110 million tons of merchandise. Petrol reservoirs and containers line the harbors. Some 58,000 people work in the vast port.

*I*n Antwerpen steigt durch den Gezeitenstrom der Wasserspiegel der Schelde zweimal am Tag um vier Meter an. Das ist viel, war aber noch nicht ausreichend. Deshalb hat man Schleusen errichtet, u.a. die weltweit größte Schleuse von Berendrecht.

Als zweitgrößter Hafen Europas ist Antwerpen das wichtigste Zentrum der Ölindustrie und Verbindungsstelle des Handels der westlichen Länder. Jedes Jahr laufen etwa 17.000 Schiffe ein, die 110 Millionen Tonnen Güter mit sich führen. Container und Tanks reihen sich entlang des Hafenbeckens aneinander. In den gesamten Hafenanlagen arbeiten rund 58.000 Menschen.

"THE rich and populous city of Antwerp has every right to call itself the Metropolis of the world ", declared the Castillan Juan Calvete de Estrella in 1549 during the golden Century of Antwerp, and he did not exaggerate. But what was it like before that ?

Archæological digs between 1974 and 1977 have proved that the site was inhabited during the Gallo-Roman period but that it was uninhabited three centuries later, at least for a while.

Around the middle of the 7th century Saint Amand who had been unwelcome to the Frisians landed at the pier occupied by the Salian Franks. He made it an outpost of Christianity in the Scheldt region. At this time the name of Antwerp first appeared on a Merovingian coin and, later, in 8th century documents as *Antwerpo*, *Andawerpo* or *Andawerp*. The prefix *anda* means "in front of" in High German and *werp* (or *werf*) designates a fortress, to be precise earthen ramparts.

Thus, it is likely that Antwerp owes its name to defensive works built at a certain distance from the Scheldt. Another fortress was built in the 9th century, this time nearer the river. The Steen we know today was built on its foundations. In the 12th century the Holy Roman Emperor Frederick I Barbarossa, suzerain of Antwerp, ordered the construction of city walls.

In the 12th and 13th centuries raids by the Danish and Norwegian Vikings were no more than a distant memory. The military importance of the site declined and Antwerp became a real urban centre surrounded by ditches to protect the population from rustlers and other riff-raff. Agriculture was the primary industry, whence the development of the corn, butter, fish and meat markets. The town was already on the route for travellers to and from England and Germany, soon attracting the Hanse and the Lombards. Along the wharves casks, boxes and bundles were loaded and unloaded. There was a crane to hoist the heavier merchandise.

Until 1484 however, the Flemish city of Bruges dominated commerce leaving Antwerp only a few fleeting triumphs. At that time silt was cutting the sea link from Bruges to the sea permanently and the people of Bruges committed the error of rising in revolt against Archduke Maximilian, regent of the Low Countries. True to its Imperial tradition Antwerp took Maximilian's side which paid off hansomely.

The Archduke vanquished the rebels of Bruges and showed his gratitude to Antwerp by inviting the foreign merchants to move to the port city

◁

De synagoge Machsiké Hadass, Oostenstraat 44 in Borgerhout.
La synagogue Machsiké Hadass, Oostenstraat 44 à Borgerhout.
The Machsiké Hadass synagogue at 44 Oostenstraat, Borgerhout.
Die Synagoge Machsiké Hadass, Oostenstraat 44 in Borgerhout.

guaranteeing all their former privileges. Later he granted Antwerp jurisdiction over its own fairs and the important alum staple, that is the levying of customs dues. Alum was used for dying cloth and tanning leather. This policy owing more to shrewdness that any ill-feeling towards Bruges had favorable results two decades later when a new route to the Indies was discovered. Antwerp, along with Lisbon and Seville, became a principal market for pepper, cinnamon and cloves.

England, however, was the principal trading partner of Antwerp. The merchants of this country, the *Adventurers*, had their own dock, premises, stock exchange and warehouse firms during the fairs. They were so taken with Antwerp that one of them joked "Hang the English on the city gates and you will see their sons pushing through their legs to get into the city themselves." The German fims dealt mainly in metallurgical products.

From the glory of the Golden Century...

The galleries of the new Stock Exchange, built in 1556 near the Meir, echoed with the clamour and bargaining of all the European nations. An Antwerp financier published regularly the exchange rates and the purchase price of Italian, German, English and French letters of credit. At the same time the urban face of Antwerp was transformed as its territory expanded under the direction of an inspired speculator and businessman. Between 1545 and 1553 Gilbert van Schoonbeke developed complete districts to a rigorously geometric plan, tracing new streets crossing at right angles, leading directly to the economic centre of the city. He also built new port installations and cut channels to the docks.

Merchants and financiers may have seemed to think of nothing but spices, cloth and capital but in fact they brought new ideas with them as well and they were proud of being able to protect those who held them. Antwerp, a "city open to all nations", played an important role in the distribution of Renaissance thought.

Christopher Plantin, though born in Tours, France, belonged to Antwerp as much as Peter Paul Rubens, born in Siegen, Germany, of Antwerp parents. The records and correspondence of Plantin show that the greatest humanists and scientists of Europe met at his publishing house, among them the humanist Justus Lipsius, the geographer Abraham Ortelius, the botanist Dodonée, the engraver Goltzius and the mathematician Simon Stevin. '*Labore et constantia*', by work and perseverance but also with wisdom Plantin and his son-in-law John Moretus helped to sow confusion in the accepted beliefs of their time and to ensure the rise of humanism in the former Low Countries. During the 34 years he was active Plantin published 1863 works.

...to the birth of two nations

By definition humanism liberated the mind from established dogma and directed it to the sources of knowledge. Text commentaries and exegesis led naturally to a desire for a more rational religion and thus opened the way to the Reformation. Antwerp, a city of well-read people accustomed to debate and closely tied economically to Germany, the centre of Lutheran thought, became the crucible of the Protestant movement in the Low Countries.

The city on the Scheldt thus became the hub of the political and religious revolt of the 16th century against King Philip II of Spain who was determined to impose the Spanish policy of centralization and destruction of local autonomy on the Seventeen Provinces that had been united by his father, Emperor Charles the Fifth. On August 19, 1566 the iconoclasts, literally "breakers of images" sacked the cathedral and the principal churches of Antwerp. Hundreds of works of art, painted, sculpted or carved disappeared forever.

While the bloody repression directed by the Duke of Alba, the "exterminating angel" of Philip II, raged, the Spanish troops were driven out of the Northern Provinces where William the Silent of Orange had been proclaimed Stadholder.

In 1576 the Spanish garrisons of Antwerp mutinied and sacked the city. During the *Spanish Fury* some six thousand people were killed. A year later the Calvinists seized power in Antwerp and several towns in Brabant, Hainaut and Flanders. Alessandro Farnese, Duke of Parma, named Governor General of the Low Countries, took advantage of Catholic indignation at the Calvinist excesses to undertake the reconquest of the southern Low Countries. By the beginning of 1584 only the Burgomaster of Antwerp, Marnix de Sainte-Aldegonde, still held out but the city finally surrendered on August 17, 1585.

The division of the Calvinist United Provinces to the north and the Catholic Low Countries into two nations was confirmed by the Treaty of Munster in 1648, thus forming the Netherlands and Belgium. The unhappy result of all this was the closing of the mouth of the Scheldt and the ruin of the port of Antwerp until 1815.

A city open to all nations

For Antwerp as for all of the Catholic Low Countries, the reign of the Archdukes Albert and Isabella was a happy interlude coinciding with the triumph of Peter Paul Rubens. Nothing was done in Antwerp without consulting him. When a prince visited the city Rubens was chosen to decorate it with all his enthusiasm for opulent beauty.

Even if the port remained blockaded by the Dutch and even if the Golden Age was over, the city did not doze in mediocrity. The ties with Germany and Italy survived. Companies from Antwerp and Milan competed for control of the silk route. The business world succeeded in maintaining Antwerp as a national and international financial centre. It was not by chance that the shares of the short-lived "Company of the Indies" of Ostend were traded on the stock exchange of the Metropolis. The many mansions built in the 18th century by Jan Pieter van Baurscheit the Younger are testimony that large fortunes still existed.

Antwerp did not derive any profit from the works started by Napoleon to turn the port into a military base in the war against England, and after the fall of the French empire the Dutch-Belgian union of 1814-1830 was too short to produce any real benefits. It was necessary to achieve Belgian independence for that to happen and, to be exact, the lifting of the tolls on the Scheldt in 1863 before the port city could regain the glory of the past.

The port, linked to the sea by the estuary of the Scheldt has the distinct advantage of being 88 kilometers inside the country thus lowering the cost of transshipment and providing a sheltered harbour. Furthermore, barely one hundred kilometers separate it from the Walloon industrial basin and Brussels, capital of Europe, Belgium and Flanders is only 45 kilometers away. The port is directly connected with German, French and Swiss industrial regions by the Rhine-Scheldt canal. The E19 autoroute, running without interruption from Scandinavia to Portugal, brushes the city.

The prosperity of the port has made Antwerpers *"Sinjoors"* (grandees). They have always felt like this and it is to this sentiment of grandeur – that the jealous call pride – that the city of the Scheldt owes much of its fascinating beauty.

▷

De Suikerrui dankt zijn naam aan de suikerstokers en banketbakkers in de stadswijk. Op de hoek van de Van Dijckkaai ziet men het 'Hansahuis' dat versierd is met allegorische figuren van Jef Lambeaux. Om de Elbe en de Weser uit te beelden, nam de beeldhouwer, zo zegt men toch, twee mollige Antwerpse vrouwen als model.

Le Suikerrui (ruisseau du Sucre) doit son nom aux bouilleurs de sucre et aux pâtissiers du quartier. Au coin du quai van Dyck, la Hansahuis est décorée de figures allégoriques de Jef Lambeaux. Pour évoquer l'Elbe et la Weser le sculpteur prit pour modèle, raconte-t-on, deux Anversoises bien potelées.

The Suikerrui or Sugar river owes its name to the sugar refiners and pastry makers of the district. At the corner of the van Dyck wharf is the Hansahuis decorated with allegorical figures by Jef Lambeaux. Legend has it that he used two voluptuous local women as models for the Elbe and Weser rivers.

Die Suikerrui verdankt ihren Namen den Zuckerbrennern und den Konditoren des Viertels. An der Ecke des Van Dyckkaai, ist das Hansahuis mit allegorischen Figuren von Jef Lambeaux verziert. Es heißt, dem Bildhauer hätten zur Darstellung von Elbe und Weser zwei dralle Antwerpenerinnen Modell gestanden.

"**D**IE reiche und dicht bewohnte Stadt Antwerpen kann sich zu Recht Hauptstadt der Welt nennen", erklärte 1549 – mitten im Antwerpener Goldenen Jahrhundert – der Kastilier Juan Calvete de Estrella. Er übertrieb dabei keineswegs. Aber wie sah der Ort zuvor aus?

Die zwischen 1974 und 1977 durchgeführten Ausgrabungsarbeiten haben die Existenz einer Siedlung in galloromanischer Zeit bestätigt, doch drei Jahrhunderte später war die Stelle unbewohnt. Vorübergehend.

Um die Mitte des 7. Jhs. kam der heilige Amandus, der von den Friesen unfreundlich empfangen worden war, in dem von den salischen Franken besetzen Hafen an. Er errichtete auf dem Scheldeboden einen Vorposten des Christentums. In dieser Zeit tauchte zum ersten Mal der Name Antwerpen auf einem merowingischen Geldstück auf und später dann in den Dokumenten des 8. Jhs. als *Antwerpo*, *Andawerpo* oder *Andawerp*. Die Vorsilbe *and* bedeutet im Hochdeutschen soviel wie "gegenüber" und *werp* (oder *werf*) bezeichnet eine Festung oder, genauer gesagt, einen Erdwall.

Alles weist also darauf hin, dass Antwerpen seinen Namen einem Verteidigungsbau zu verdanken hat, der in einiger Entfernung zur Schelde errichtet worden war. Eine andere Festung wurde im 9. Jh. dieses Mal nahe am Fluss gebaut – auf deren Grundfesten der uns bekannte Steen errichtet werden wird – und im 12. Jh. gab der deutsche Kaiser Friedrich I. Barbarossa, Lehnsherr von Antwerpen, den Auftrag zum Bau einer Stadtmauer.

Im 12. und 13. Jh. waren die dänischen und norwegischen Einfälle nur mehr ferne Erinnerung. Die militärische Bedeutung des Ortes nahm zu und Antwerpen wurde zu einer richtigen Stadt, umgeben von Gräben, die die Bevölkerung vor Viehdieben und anderem Gesindel schützten. Der Landbau bestimmte größtenteils das Leben der Antwerpener. Märkte für Korn, Butter, Fisch und Fleisch entwickelten sich. Die Stadt war bereits Durchgangsstation für Reisende zwischen England und Deutschland, und bald zog der Handel Hanseaten und Lombarden an. Entlang der Kaimauern belud und entlud man Fässer, Kisten und Ballen. Ein Kran diente zum Anheben der schweren Waren.

Der flämische Hafen von Brügge aber wurde zum wichtigeren Umschlagplatz und ließ für Antwerpen nur kleine Erfolge übrig. Dies war die Lage bis 1484: Während die Verbindung von Brügge zum Meer endgültig versandete, begangen die Brügger den Fehler, sich gegen den Erzherzog Maximilian von Österreich, Regent der Niederlande, aufzulehnen. Antwerpen stellte sich seiner kaiserlichen Tradition folgend auf die Seite Maximilians. Das erwies sich als gute Entscheidung.

Der Erzherzog siegte über die aufständischen Brügger und belohnte die Antwerpener mit der Einladung an die ausländischen Kaufleute, sich in der Hafenstadt unter der Garantie aller ihrer früheren Privilegien niederzulassen. Sodann gewährte er den Antwerpenern die Gerichtshoheit über ihre eigenen Märkte und die wichtige Durchgangserlaubnis für die Alaunsteine, die zum Färben der Tücher und zum Gerben der Felle verwendet wurden. Diese Politik, bei der der Scharfsinn eindeutig größer war als das offensichtliche Gefühl der Rachsucht gegenüber den Brüggern, hatte positive Auswirkungen, die sich zwei Jahrzehnte später nach der Entdeckung des neuen Seeweges nach Indien zeigen sollten. Antwerpen wurde zusammen mit Lissabon und Sevilla zum großen Handelsort für Pfeffer, Zimt und Nelke.

Dennoch blieb insgesamt im Handelsgeschäft von Antwerpen England der bedeutendste Partner. Die Kaufleute aus diesem Land – die sog. *Adventurers* – hatten während der Märkte in der Stadt ihren eigenen Kai, ihre eigenen Räumlichkeiten, ihre Börse und ihren Speicherplatz. Sie waren so von Antwerpen fasziniert, dass einer von ihnen den Spruch aufbrachte : "Hängt die Engländer an die Stadttore und ihr werdet sehen, wie sich deren Söhne zwischen den Beinen der Gehängten hindurchdrängen, um ihrerseits nach Antwerpen hinein zu gelangen". Deutsche Handelsunternehmungen konzentrierten sich vor allem auf Eisenwaren.

Vom Ruhm des Goldenen Jahrhunderts …

Die Galerien der neuen Börse, die 1556 nicht weit vom Meirplatz entfernt errichtet worden war, hallten von den lauten Rufen der Händler in allen europäischen Sprachen wider. Ein Antwerpener Bankier veröffentlichte regelmäßig die Wechselkurse und die Ankaufskurse für italienische, deutsche, englische und französische Wertpapiere. Gleichzeitig mit der territorialen Ausweitung hatte sich das Stadtbild Antwerpens vor allem unter der Regie eines genialen Börsenspekulanten und Geschäftsmannes gewandelt. Zwischen 1545 und 1553 ließ Gilbert van Schoonbeke ganze Gebiete nach streng geometrischen Plänen bebauen und dort neue, sich rechtwinklig kreuzende Straßen anlegen, die direkt ins wirtschaftliche Zentrum der Stadt führten. Er errichtete unter anderem neue Viertel am Hafen und grub Zugangskanäle zu den Kaien.

Die Kaufleute und Bankiers schienen sich vordergründig nur um Gewürze, Stoffe und Kapital zu sorgen, aber in Wirklichkeit brachten sie auch stets neues Gedankengut mit und rühmten sich, die Lehrmeister dieser neuen Ideen wirkungsvoll zu schützen. Als "offene Stadt für alle Nationen" spielte Antwerpen ganz selbstverständlich eine wichtige Rolle in der kulturellen Bewegung der Renaissance.

Christophe Plantin, der ursprünglich aus dem französischen Tours kam, gehört ebenso zu Antwerpen wie der in Siegen als Sohn Antwerpener Eltern geborene Pieter-Paul Rubens. Die Register und Briefe von Plantin bezeugen, dass sich in seiner Druckerei die größten Humanisten und Wissenschaftler Europas getroffen haben : der Humanist Justus Lipsius, der Geograph Abraham Ortelius, der Botaniker Dodonée, der Maler Goltzius, der Mathematiker Simon Stevens... *"Labore et constantia"*, durch Arbeit und Beharrlichkeit, aber auch durch Einsicht trugen Plantin und sein Schwiegersohn Jan I. Moretus dazu bei, die Kenntnisse ihrer Zeit zu revolutionieren und den Einfluss des Humanismus in den alten Niederlanden sicherzustellen. Im Laufe seiner vierunddreißigjährigen Geschäftstätigkeit druckte Plantin 1863 Werke.

...zur Geburt von zwei Staaten

Der Humanismus befreit per Definition den Geist von dem gelernten Dogma und lenkt ihn hin zu den Quellen des Wissens. Textveröffentlichung und Textauslegung brachten auf natürliche Weise den Wunsch nach einer rationelleren Religion mit sich und ebneten den Weg für die Reformation. Antwerpen als Stadt der diskussionsfreudigen Gelehrten, als Ort mit festen wirtschaftlichen Beziehungen zu Deutschland und Herz der lutherischen Ideologie wurde zum Zentrum des Protestantismus in den alten Niederlanden.

Die Stadt an der Schelde befand sich von da an im Mittelpunkt der politisch-religiösen Revolution im 16. Jh. gegen den spanischen König Philipp II., der glaubte, in den von seinem Vater Kaiser Karl V. vereinigten 17 Provinzen die spanische Politik der Zentralisierung mit dem Ziel der Abschaffung jeglicher Autonomie durchsetzen zu können. Am 19. Aug. 1566 verwüsteten die Bilderstürmer die Kathedrale und die wichtigsten Kirchen von Antwerpen. Hunderte von Gemälden, Skulpturen und Gravuren verschwanden für immer.

Während der blutigen Unterdrückung unter Führung des Herzogs von Alba, dem "Engel des Verderbens" von Philipp II., wurden die spanischen Truppen aus den nördlichen Provinzen, in denen Wilhelm von Oranien, der Schweigsame genannt, zum Statthalter ernannt worden war, vertrieben.

1576 meuterten die spanischen Garnisonen in Antwerpen und zerstörten die Stadt. Ihrer Raserei fielen etwa 6000 Menschen zum Opfer. Ein Jahr später übernahmen die Kalvinisten die Macht in Antwerpen und mehreren Städten in Brabant, im Hennegau und in Flandern. Der Generalgouverneur der Niederlande Alexander Farnese nutzte die Empörung der Katholiken angesichts der Exzesse der Kalvinisten zu einer Rück-

eroberung der Gebiete im Süden der Niederlande. Anfang 1584 leistete nur noch Marnix van Sint-Aldegonde, der Bürgermeister von Antwerpen, Widerstand. Die Stadt kapitulierte am 17. August 1585.

Der Bruch zwischen den kalvinistischen Vereinigten Provinzen im Norden und den katholischen Niederlanden im Süden sollte im Jahre 1648 durch den Vertrag von Munster erfolgen, in dem die Entstehung von zwei Nationen, der belgischen und der niederländischen, bestätigt wurde. Als negative Begleiterscheinung folgte die Schließung der Mündung der Schelde und der Niedergang des Hafens von Antwerpen bis 1815.

"Offene Stadt für alle Nationen"

Die Herrschaft der Erzherzöge Albert und Isabella bedeutete für Antwerpen wie für die gesamten katholischen Niederlande eine segensreiche Periode. Es war die Zeit der Triumphe von Pieter-Paul Rubens: Nichts geschah in Antwerpen, ohne dass man ihn zuvor um Rat gefragt hatte. Wenn ein Prinz die Stadt besuchte, beauftragte man Rubens mit dem Schmücken der Stadt. Dies tat er dann mit dem Eifer einer leidenschaftlichen Liebe zu einer molligen Schönheit...

Auch wenn die Holländer dem Hafen seine Bedeutung nahmen und das Goldene Zeitalter Antwerpens beendet war, so versank die Stadt doch keineswegs in Mittelmäßigkeit. Die mit Deutschland und Nordtalien geknüpften Bande überlebten. Antwerpener und mailändische Firmen wetteiferten gar um die Kontrolle der Seidenstraße. Aufgrund eines regen Geschäftsmilieus konnte Antwerpen seinen Status als nationalen und internationalen Finanzplatz bewahren. Es war keineswegs Zufall, dass die Wertpapiere der kurzlebigen "Indischen Kompanie", auch "Kompanie von Ostende" genannt, an der Börse von Antwerpen zum Verkauf angeboten wurden. Ein weiterer eindeutiger Beweis der Beständigkeit einiger großer Vermögen ist die Tatsache, dass im 18. Jh. zahlreiche Herrenhäuser von Jan Pieter van Baurscheit dem Jüngeren errichtet wurden.

Antwerpen konnte von den unter Napoleon begonnenen Arbeiten zum Ausbau des Hafens als Militärstützpunkt im Krieg gegen England nicht profitieren und nach dem Ende des französischen Kaiserreiches währte die holländisch-belgische Union zu kurze Zeit (1814 bis 1830), um Früchte zu tragen. Es sollte also noch bis zur belgischen Unabhängigkeit oder genauer bis zur Abschaffung des Scheldezolls im Jahre 1863 dauern, bis die Hafenstadt wieder glanzvoll ihren alten Platz einnehmen konnte.

Der über die Schelde mit dem Meer verbundene Hafen hat den unbestrittenen Vorteil, 88 Kilometer im Landesinneren zu liegen, wodurch die Transportkosten gesenkt werden können und die Schiffe vor den Stürmen sicher sind. Überdies befindet er sich kaum hundert Kilometer von den wallonischen Industriegebieten entfernt und nur 45 km von Brüssel, der Hauptstadt von Europa, Belgien und Flandern. Über den Schelde-Rhein-Kanal ist die Hafenstadt direkt mit den Industriezentren von Deutschland, Frankreich und der Schweiz verbunden. Die Autobahn E19 von Skandinavien bis nach Portugal führt an der Stadt vorbei.

Der florierende Hafen hat aus dem Antwerpener zu Recht einen *"Sinjoor"* (Herr) gemacht. Als solchen hat er sich schon immer gesehen und es ist dieses Gefühl von Erhabenheit – von einigen neidisch als Stolz bezeichnet –, dem die Scheldestadt vor allem ihre faszinierende Schönheit verdankt.

△

Het zuidportaal van de Kathedraal (1515) is zonder twijfel toe te schrijven aan Cornelius van Mildert. De beelden, vernield door de Franse revolutionairen, werden in de 19de eeuw heel mooi door nieuwe kunstwerken vervangen.

Le portail méridional de la cathédrale (1515) est sans doute dû à Corneille van Mildert. Les sculptures, détruites par les révolutionnaires français, furent remplacées au XIXᵉ siècle par des compositions du plus bel effet.

The South portal of the cathedral is undoubtedly the work of Cornelis van Mildert (1515). Unfortunately the original sculptures were destroyed by the French revolutionaries but have been replaced quite nicely by 19th century compositions.

Das Südportal der Kathedrale (1515) stammt wahrscheinlich von Cornelius van Mildert. Die von den Anhängern der Französischen Revolution zerstörten Skulpturen wurden im 19. Jh. durch wunderschön wirkende Kompositionen ersetzt.

19

◁ ◁ △ de *Onze-Lieve-Vrouwekathedraal*

*M*et een lengte van 117 meter op een breedte van 55 meter, is de Onze-Lieve-Vrouwekathedraal het grootste gotische bouwwerk in België. Haar gewelven komen tot 28 meter boven de grond. Haar bouw in basiliekvorm (dit wil zeggen met meerdere parallelle schepen) duurde zo'n twee eeuwen en gebeurde onder leiding van de beste architecten van de Neder-landen. De werken begonnen in 1396 onder Jacob van Tienen en beëindig-den in 1530 onder de beroemde Domien de Waghemakere. In de tussentijd volgden niet minder dan vier architecten elkaar op : Peter Appelmans (vanaf 1419), Jan Tac (1434), Everaert Spoorwater (1449) en Herman de Waghemakere (1473).

*T*he Cathedral of Our Lady is the largest Gothic edi-fice in Belgium, 117 meters long, 55 meters wide and the vaulting rises to 28 meters. Built in the basilical style of several parallel naves the construction contin-ued over two centuries, supervised by the finest archi-tects of the Low Countries. Work began under Jacob van Tienen in 1396 and was achieved by the famous Domien de Waghemakere in 1530. In between no fewer than four architects succeeded eachother : Peter Appelmans from 1419, Jan Tac in 1434, Everaert Spoorwater in 1449 and Herman de Waghemakere in 1473.

*L*a cathédrale Notre-Dame est le plus grand édifice gothique de Belgique. Elle s'étend sur 117 mètres de lon-gueur et 55 mètres de largeur. Ses voûtes s'élèvent jus-qu'à 28 mètres. Sa construction sur plan basilical – c'est-à-dire en plusieurs nefs parallèles – s'est étalée sur deux siècles sous la direction des meilleurs architectes des Pays-Bas. Les travaux débutèrent dès 1396 avec Jacques van Tienen ; le célèbre Domien de Waghemakere les acheva en 1530. Entre-temps, pas moins de quatre autres architectes se succédèrent : Pierre Appelmans à partir de 1419, Jan Tac (1434), Everaert Spoorwater (1449) et encore Herman de Waghemakere en 1473.

*D*ie Liebfrauenkathedrale ist das größte gotische Gebäude Belgiens. Sie ist 117 Meter lang und 55 Meter breit, ihr Gewölbe ist bis zu 28 Meter hoch. Ihr Bau nach einem basilikalen Grundriss (d.h. mit mehreren parallelen Kirchenschiffen) zog sich über zwei Jahrhunderte hin und erfolgte unter der Leitung der besten niederländischen Architekten. Die Arbeiten begannen 1396 mit Jacob van Tienen und wurden 1530 von dem berühmten Domien de Waghemakere vollen-det. Zwischenzeitlich lösten sich nicht weniger als vier weitere Architekten ab : Pieter Appelmans ab 1419, Jan Tac (1434), Everaert Spoorwater (1449) und Herman de Waghemakere im Jahr 1473.

Vorige dubbele bladzijde.

*I*n de kerkschepen duiken de zuilen plotseling als bundel-pijlers op. Ontdaan van kapitelen klimmen ze op naar de boog-gewelven en verlengen zich in een straal verder tot in de koe-pels waar plotseling een lijstwerk opwelt. De sobere versie-ring valt op. Zij is het gevolg van de vernieling van de kunst-schatten door de beeldenstormers gedurende de politiek-gods-dienstige rellen onder koning Filips II.

Hierboven.

Op het kruisgewelf van het transept staat er een lantaarn-toren, die een onverwacht renaissancistisch element toevoegt aan de gotische architectuur van de kathedraal. Haar drie niveaus met grote raamopeningen komen samen in een peer-spits. Binnenin voegen de bundelpijlers zich samen in het gewelf om de achthoekige vorm van de lantaarntoren te omlij-nen, op 48 meter boven de grond rustend op bogen. De vier laterale muren hebben een laat-gotisch decor gekregen.

Double page précédente.

*D*ans les nefs, les piles surgissent comme des faisceaux de nervures. Dépourvues de chapiteaux, elles se développent jus-qu'aux arcades puis se prolongent d'un jet jusqu'aux voûtes, dans un jaillissement de moulures. Le dépouillement du décor est frappant. Il résulte de la destruction des œuvres d'art par les iconoclastes pendant les troubles politico-religieux sous le règne de Philippe II.

Ci-dessus.

Posée à la croisée du transept, une tour-lanterne ajoute un élément Renaissance inattendu à l'architecture gothique du sanctuaire ; ses trois niveaux percés de fenêtres sont coiffés d'une flèche bulbeuse. À l'intérieur, les nervures des piliers se rejoignent à la voûte pour encadrer la composition géomé-trique à 48 mètres au-dessus du sol, qui repose sur des arcs disposés en octogone. Les quatre murs latéraux ont reçu un décor gothique tardif.

Previous double pages.
*T*he ribbed piers of the naves have no capitals, soaring to the archways and then continuing to the vaults in a riot of mouldings. The decor is remarkably severe, a result of the destruction of art work by the iconoclasts during the political and religious turmoil during the reign of Philip II.
Above.
A lantern tower posed on the transept crossing adds an unexpected Renaissance element to the Gothic architecture of the sanctuary. Its three levels pierced by windows are crowned by a bulbous spire. Inside the ribs of the pillars converge in the vault to frame the geometric composition resting on arches forming an octagon 48 meters above the floor. The four side walls are decorated in Late Gothic.

Vorige Doppelseiten
*I*n den Kirchenschiffen wirken die Zwischenpfeiler wie Nervenstränge. Diese kapitelllosen Pfeiler reichen bis zu den Arkaden und verlängern sich dann in einem vorspringenden Gesims bis zum Gewölbe. Besonders auffällig ist die Schmucklosigkeit. Sie ist das Ergebnis der Zerstörung der Kunstwerke durch die Bilderstürmer während der politisch-religiösen Unruhen zur Zeit der Herrschaft Philipps II.
Oben
Bei der Vierung fügt eine sog. Laterne ein unerwartetes Renaissance-Element in die gotische Architektur des Altarraumes ein. Ihre drei mit Fenstern durchbrochenen Ebenen enden in einem Zwiebelturm. Im Inneren verschmelzen die Rippen der Pfeiler mit dem Gewölbe und umrahmen 48 Meter über dem Boden die geometrische Komposition, die auf im Achteck angeordneten Bögen ruht. Die vier Seitenwände sind im spätgotischen Stil gehalten.

de Oude Koornmarkt

De huizen van de Oude Koornmarkt – waarvan de weke-
lijkse graanmarkt teruggaat tot in de 15de eeuw, niet ver van
de Grote Markt – laten hun stenen gevels mooi met deze in
baksteen afwisselen. Laatstgenoemde, de oudste, hebben een
traditionele trapgevel, terwijl eerstgenoemde een barok decor
versierd met voluten tonen.
Boven.
De Duitse Hanse gebruikte het huis 'De Cluyse' op de Oude
Koornmarkt 26 tot in 1625. De gevel boven de benedenverdieping, meer bepaald de gotische gevel met het elegant
decoratief klaverbladmotief, is blijven bestaan zoals hij was in
de vijftiende eeuw.

The façades of the houses on Oude Koornmarkt, site of the
weekly grain market until the 15th century close to the city
square, alternate brick and stone. The oldest ones shown here
have traditional toothed gables while others display a voluted
baroque decor.
Above.
"De Cluyse" house at 26 Oude Koornmarkt was used by the
German Hanse until 1625. The façade above the ground floor
and in particular the Gothic gable with its elegant trefoil decoration remains as it was in the 15th century.

Les maisons de l'Oude Koornmarkt – où le marché aux
grains hebdomadaire se tint jusqu'au XVe siècle, non loin de la
Grand-Place – font alterner les façades en pierre avec celles en
brique. Celles-ci, les plus anciennes, ont le traditionnel pignon
à redents tandis que les premières présentent un décor baroque
orné de volutes.
Ci-dessus.
Au numéro 26 de l'Oude Koornmarkt, la maison *"De Cluyse"*
(le Coffre-fort) fut utilisée par la Hanse allemande jusqu'en
1625. La façade au-dessus du rez-de-chaussée, en particulier le
pignon gothique à l'élégant motif décoratif en feuille de trèfle,
est demeurée telle qu'au XVe siècle.

Am Oude Koornmarkt – wo nicht weit vom Grote Markt bis
zum 15. Jh. der wöchentliche Kornmarkt stattfand – wechseln
sich Stein- mit Ziegelfassaden ab. Die älteren Ziegelhäuser
weisen Stufengiebel auf, wohingegen die Steinhäuser im
Barockstil mit Voluten geschmückt sind.
Oben
Das Haus *„De Cluyse"* am Oude Koornmarkt Nummer 26
wurde bis 1625 von der deutschen Hanse genutzt. Die Fassade
oberhalb des Erdgeschosses, insbesondere der gotische Giebel
mit der eleganten, kleeblattförmigen Verzierung, ist in dem
Zustand, in dem sie sich im 15. Jh. befunden hatte, belassen
worden.

de Groenplaats

*O*p de plaats van het oude kerkhof van de kathedraal liet consul Napoleon Bonaparte in 1802 een plein aanleggen en met lindebomen beplanten. Al heel vlug werd die "groene plaats" dè ontmoetingsplaats van de Antwerpenaren, die een rustiger plek dan de Grote Markt of de Meir opzochten.

Hier richtte men in 1802 het standbeeld van Pieter-Paul Rubens op, gebeeldhouwd door Willem Geefs. Het werd tijd ! De schilder was al meer dan 200 jaar gestorven. In 1869 was het plein het toneel van de eerste tweewielers, wat de plaatselijke autoriteiten sterk verontrustte. Met al haar terrasjes heeft de Groenplaats een deel van haar negentiende-eeuwse charme weten te behouden. Zeker als er lichtgeklede jonge vrouwen met hun aanbidders flaneren…

À l'emplacement de l'ancien cimetière de la cathédrale, le consul Napoléon Bonaparte fit aménager en 1802 une place publique plantée de tilleuls. Très vite la "place Verte" devint le lieux de rendez-vous des Anversois désireux de flâner dans un endroit plus calme que la Grand-Place ou le Meir.

On y dressa en 1843 la statue de Pierre-Paul Rubens sculptée par Guillaume Geefs. Il était temps ! Il y avait plus de deux cents ans que le peintre était mort. En 1869, la place fut le théâtre d'une démonstration des premiers vélocipèdes, ce qui inquiéta fort les autorités communales.

Entourée de terrasses de cafés, la Groenplaats a gardé une partie de son charme du XIXe siècle, quand s'y promenaient les jolies femmes en toilettes légères et leurs soupirants.

*I*n 1802 Consul Napoleon Bonaparte had the old cathedral cemetery replaced by a public square planted with lime trees. The "Green Square" rapidly became a favorite meeting place of Antwerpers who wanted a more relaxing spot than the Meir or the city square.

A statue of Peter Paul Rubens by Guillaume Geefs was installed on the square in 1864. It was high time as the artist had been dead for two hundred years ! In 1869 the first velocipedes were demonstrated on the square, alarming the municipal authorities.

Green Square, surrounded by café terraces, has retained much of its 19ᵗʰ century charm when pretty ladies in gauzy gowns used to stroll their with their swains.

*A*n der Stelle des alten Friedhofs der Kathedrale ließ der Konsul Napoleon Bonaparte 1802 einen öffentlichen, mit Linden bepflanzten Platz anlegen. Sehr bald wurde der „grüne Platz" zum bevorzugten Treffpunkt für die Einwohner Antwerpens, die einen ruhigeren Ort als den Grote Markt oder den Meir zum Flanieren suchten.

Im Jahr 1843 wurde hier die von Guillaume Geefs geschaffene Statue von Peter Paul Rubens aufgestellt. Das wurde aber auch Zeit ! Schließlich war der Maler schon seit mehr als zweihundert Jahren tot. 1869 wurden – sehr zur Besorgnis der Behörden – auf dem Platz die ersten Fahrräder vorgeführt.

Der von Straßencafes umgebene Groenplaats hat einen Teil seines Charmes aus dem 19. Jh. bewahrt, als hier die hübschen, leicht bekleideten Frauen mit ihren Verehrern spazieren gingen.

de Grote Markt en het Stadhuis

*H*et driehoekig tracé van de Grote Markt is een verre erfenis uit de Frankische tijd. Het stemt overeen met de gewaagde indeling van de gebouwen rondom de gemene gronden. Dankzij de demografische groei werd de plaats een *'forum'*, de levendige stadskern die de Graaf van Brabant Hendrik I aan de Scheldestad schonk.

Linkse bladzijde.

Na lang beraadslagen vertrouwden de Antwerpenaars, die ernaar verlangden op hun Grote Markt het weelderigste stadhuis van de Nederlanden te bouwen, de plannen toe aan Cornelis Floris. Het was de juiste keuze. Het stadhuis (1565), dat de westelijke kant van de Grote Markt afbakent, vermengt onbeschaamd bogen en bovendrempels onder de gelijke zuilsafstanden. Een hoge puntgevel eindigt op een kleine constructie in de vorm van een triomfboog. De Renaissance komt hier aan de beurt, harmonieus Italiaanse en Vlaamse elementen in zich vermengend : de ramen bewaren hun kruiskozijn en traditionele belijning, maar de derde verdieping vormt een galerij gelijkend op die gemaakt voor koningin Claude in het kasteel van Blois, Frankrijk.

*L*e tracé triangulaire de la Grand-Place est un héritage de l'époque franque. Il correspond à la disposition hasardeuse des bâtiments autour d'un champ cultivé en commun par les paysans francs. À la faveur de la croissance démographique, l'emplacement devint le *forum*, le centre vital que le duc de Brabant Henri Ier octroya à la cité scaldéenne.

Ci-dessus.

Après de longues discussions, les Anversois, qui désiraient y édifier le plus fastueux hôtel de ville de tous les anciens Pays-Bas, en confièrent les plans à Corneille Floris. C'était le bon choix. L'hôtel de ville (1565), qui délimite le côté occidental de la Grand-Place, confond hardiment arcs et linteaux sous les entrecolonnements égaux. Un haut pignon se termine par une petite construction en forme d'arc de triomphe. La Renaissance l'emporte, mêlant harmonieusement éléments italiens et flamands : les fenêtres conservent la croisée et l'alignement traditionnel, mais le troisième étage forme une galerie semblable à celle qui fut réalisée pour la reine Claude au château de Blois, en France.

The triangular outline of the city square dates way back to the era of the Franks and corresponds to the haphazard placement of building around a communal field cultivated by Frankish peasants. Because of the increase in population the site became the *forum*, the vital centre granted to the city of the Scheldt by Henry I, Duke of Brabant.

Left page.
After prolonged discussion the Antwerpers, who wished to build the most sumptuous city hall in all the Low Countries, commissioned the architect Cornelis Floris who proved a very good choice indeed. The City Hall which forms the western side of the square boldly mixes arches and lintels under equally spaced intercolumnation. A tall gable ends in a small triumphal arch. Renaissance is dominant in a harmonious mix of Italian and Flemish elements : the windows retain the traditional form and alignment but the third storey is similar to the gallery built for Queen Claude at Blois castle in France.

Die dreieckige Form des Grote Markt ist ein Vermächtnis aus der Frankenzeit. Sie entspricht der zufälligen Gebäudeanordnung um ein von den fränkischen Bauern gemeinsam bewirtschaftetes Feld. Begünstigt durch das Bevölkerungswachstum wurde dieser Ort zum *Forum*, das der Herzog von Brabant Heinrich I. der Skaldenstadt gewährte, zum Mittelpunkt des städtischen Lebens.

Linke Seite
Nach langen Diskussionen beauftragten die Einwohner Antwerpens, die auf ihrem Grote Markt das prunkvollste Rathaus in den gesamten alten Niederlanden bauen wollten, Cornelis Floris mit den Entwürfen. Das war die richtige Wahl. Im Gebäudekomplex des Rathauses (1565), der auf der Westseite des Grote Markt steht, vereinigen sich auf kühne Weise Bögen und Stürze unter den gleichmäßigen Säulenabständen. Ein hoher Giebel endet in Form eines kleinen Triumphbogens. Hier überwiegt der Renaissance-Stil, der harmonisch italienische und flämische Elemente miteinander verbindet : Die Fenster behalten die Kreuzsprossen und die traditionelle Bauflucht bei, das dritte Geschoss bildet jedoch einen Säulengang, der dem für die Königin Claude im Schloss von Blois in Frankreich gebauten Säulengang gleicht.

Gedomineerd door een 16de-eeuwse schouw met 2 albasten kariatiden, een werk van Cornelis Floris, werd de huwelijks-zaal gedecoreerd met muurschilderingen van Victor Lagye (1825-1896). Ze stellen de huwelijksplechtigheden in de verschillende historische perioden voor.
Rechts.
In het bureau van de burgemeester, in de 19de eeuw onder leiding van Bourla gerestaureerd, plaatste men in 1824 een monumentale schouw, overvloedig gebeeldhouwd tot aan het plafond. Zij komt uit het huis de Moelnere in het Kipdorp, en wordt toegeschreven aan Pieter Coecke van Aalst.
Volgende dubbele bladzijde.
De romantische Antwerpse schilder Henri Leys maakte meerdere muurschilderingen voor het stadhuis. In de grote ontvangstzaal die aan hem is opgedragen, illustreren vier fresco's de bekendste episoden uit de geschiedenis van de metropool in de 16de eeuw.

The marriage office, dominated by a 16th century fireplace with two alabaster caryatids done by Cornelis Floris, was decorated by Victor Lagye (1825-96) with murals depicting marriage ceremonies in various periods of history.
Right.
In the burgomaster's office, restored in the 19th century by Bourla, is a monumental fireplace lavishly carved right up to the ceiling, installed in 1824. It came from the de Moelnere house in Kipdorp street and is attributed to Pieter Coecke from Aalst.
Next double page.
The Romantic Antwerp painter Henri Leys painted several murals in the city hall. In the large reception room named after him four frescoes illustrate important historical events in the 16th century.

Dominée par une cheminée du XVIᵉ siècle à deux cariatides en albâtre, œuvre de Corneille Floris, la salle des mariages a été décorée de peintures murales de Victor Lagye (1825-1896) représentant les cérémonies de mariage à différentes époques de l'histoire.
À droite.
Dans le bureau du bourgmestre, restauré au XIXᵉ siècle sous la direction de Bourla, on a installé en 1824 une cheminée monumentale, surabondamment sculptée jusqu'au plafond. Elle provient de la maison de Moelnere, au Kipdorp, et est attribuée à Pieter Coecke d'Alost.
Double page suivante.
Le peintre romantique anversois Henri Leys a réalisé plusieurs peintures murales pour l'hôtel de ville. Dans la grande salle de réception qui lui est dédiée, quatre fresques illustrent les épisodes marquants de l'histoire de la Métropole au XVIᵉ siècle.

Der von einem Kamin mit zwei Karyatiden aus Alabaster, einem Werk von Cornelis Floris aus dem 16. Jh., dominierte Hochzeitssaal ist mit Wandmalereien von Victor Lagye (1825-1896) dekoriert, die Trauungszeremonien in verschiedenen Epochen der Geschichte darstellen.
Rechts
Im Bürgermeisterzimmer, das im 19. Jh. unter der Leitung von Bourla restauriert worden war, wurde 1824 ein riesiger, bis zur Decke reichlich mit Reliefen verzierter Kamin eingebaut. Er stammt aus dem Haus de Moelnere im Kipdorp und wird Pieter Coecke van Aelst zugeschrieben.
Nächste Doppelseite
Der romantische Maler Henri Leys aus Antwerpen hat für das Rathaus mehrere Wandmalereien angefertigt. In der großen, ihm gewidmeten Empfangshalle veranschaulichen vier Fresken die wichtigsten Episoden der Stadtgeschichte im 16. Jh.

◁◁△

*I*n het midden van de Grote Markt, op een stromende, rotsachtige sokkel vol sirenen en fantastische wezens, werd in 1887 het standbeeld van Brabo opgericht, een werk van de Antwerpenaar Jef Lambeaux. Volgens de legende zat er vroeger een reus, genaamd Antigoon, op de oevers van de Schelde. Van elke zeeman die de door hem gevraagde tol probeerde te omzeilen, sneed hij de rechterhand af. Aangezien hij de bebloede hand van elk van zijn slachtoffers in de golven wierp, werd deze handeling lange tijd toegeschreven als zijnde de oorsprong van de naam van de stad, namelijk 'handwerpen'. Op een dag echter trotseerde Antigoon de listige Brabo, toen hij een zwaan achterna zat. Het werd zijn ondergang. Brabo wreekte de mutilatie van duizenden zeelui door op zijn beurt de rechterhand van de reus af te snijden.

*T*he statue of Brabo by the Antwerper Jef Lambeaux, installed in 1887, stands in the centre of the city square on a glistening rocky base decorated with mermaids and fantastic animals. According to legend, a giant named Antigon stationed on the banks of the Scheldt, cut off the right hand of sailors who tried to escape paying the tribute he demanded. For a long time it was claimed that because he threw the bloody hand of every victim into the river that this was the origin of the city name : *hand werpen*. One day Antigon did battle with the crafty Brabo who was chasing a swan. This led to his downfall and in revenge for the mutilation of thousands of sailors, Brabo cut off the right hand of the giant.

*A*u centre de la Grand-Place, sur un socle rocheux ruisselant animé de sirènes et animaux fantastiques, fut dressée en 1887 la statue de Brabo, œuvre de l'Anversois Jef Lambeaux. Selon la légende, un géant nommé Antigon, posté sur les rives de l'Escaut, tranchait la main droite des marins qui tentaient d'esquiver le péage qu'il percevait. Comme il jetait dans les flots la main sanglante de chacune des victimes, on voulut longtemps attribuer à ce geste l'origine du nom de la ville, *hand werpen*. Un jour, Antigon affronta en combat singulier le rusé Brabo qui poursuivait un cygne. Ce fut sa perte. Vengeant la mutilation de milliers de marins, Brabo trancha à son tour la dextre du géant.

*M*itten auf dem Grote Markt wurde 1887 auf einen mit Meerjungfrauen und Fabeltieren geschmückten Felsen umgeben von einem Wasserspiel das von dem Antwerpener Künstler Jef Lambeaux geschaffene Standbild von Brabo aufgestellt. Der Überlieferung nach schlug ein Riese namens Antigon, der sich am Ufer der Schelde postiert hatte, den Seefahrern, die versuchten, sich der Zahlung des von ihm erhobenen Wegegeldes zu entziehen, die rechte Hand ab. Da er die blutige Hand eines jeden seiner Opfer ins Wasser warf, hatte man lange den Ursprung des Stadtnamens auf diese Geste zurückgeführt : *hand werpen*. Eines Tages führte Antigon mit dem gerissenen Brabo, der einen Schwan verfolgte, einen Zweikampf. Dies war sein Untergang, denn Brabo schlug nun seinerseits dem Riesen die rechte Hand ab, um sich für die Verstümmelung tausender Seeleute zu rächen.

de Sint-Carolus Borromæuskerk

Gebouwd tussen 1615 en 1621 door pater-rector Frans d'Aguilon en broeder Pieter Huyssens, op aanraden van hun vriend Rubens, heeft de Sint-Carolus Borromæuskerk een gevel zoals dat van Il Gesù in Rome. De overvloedige barokke stijl wordt verdeeld over pilasters en zuilen. De kerk dankt zijn naam aan de heilige Sint-Carolus Borromæus, de meest efficiënte protagonist van het Concilie van Trente en de Contrareformatie, waarvan het gebouw in haar geheel haar triomf te Antwerpen uitstraalt.

Linkerbladzijde.
Als men afstand neemt van de kazuifeldragers en ander meubilair voor liturgische gewaden, roept de sacristie het interieur op van een rijk zeventiende-eeuws burgershuis.

The church of Saint Charles Borromeo is dedicated to the most effective champion of the Council of Trent and of the Counter-Reformation of which this edifice is a triumphant symbol. The façade, built between 1615-1621 by the Jesuit Father Rector François d'Aguillon and Brother Pieter Huyssens, advised by their friend Peter Paul Rubens, was inspired by that of the Gesù in Rome in the exuberant baroque style divided by pilasters and columns.

Left page.
The vestry resembles a rich 17th century bourgeois interior if one ignores the chasuble racks and other accessories for the storage of vestments.

Construite de 1615 à 1621 par le père recteur François d'Aguilon et le frère Pierre Huyssens conseillés par leur ami Rubens, l'église Saint-Charles Borromée est dédiée au plus efficace protagoniste du concile de Trente et de la Contre-Réforme dont l'ensemble du bâtiment clame le triomphe à Anvers. Inspirée du Gesù de Rome, l'exubérance de son style baroque est compartimentée par des pilastres et des colonnes.

Page de gauche.
Si l'on fait abstraction des porte-chasubles et autres meubles pour vêtements liturgiques, la sacristie évoque l'intérieur d'une riche demeure bourgeoise du XVIIe siècle.

Die zwischen 1615 und 1621 von Pater Rektor Frans d'Aguillon und Bruder Pieter Huyssens unter Beratung ihres Freundes Rubens erbaute Karl-Borromäus-Kirche ist dem einflussreichsten Protagonisten des Konzils von Trient und der Gegenreform gewidmet, von dessen Triumph das gesamte Gebäude in Antwerpen Zeugnis ablegt. Die Üppigkeit des barocken Stils nach dem Vorbild der Jesuitenkirche Il Gesù in Rom wird durch Pilaster und Säulen unterteilt.

Linke Seite
Abgesehen von den Messgewandhaltern und anderem Mobiliar für liturgische Gewänder erinnert die Sakristei an das Innere des Wohnhauses eines reichen Bürgers im 17. Jh.

*T*oscaans beneden, Ionisch bovenaan, geven de zuilen ritme aan de booggewelven. Het indrukwekkend altaar met Korinthische zuilen wordt verlicht door een kleine lantaarntoren met een rijkversierde half-koepel. Het groot schilderij dat Pieter-Paul Rubens voor deze kerk heeft geschilderd, bevindt zich nu te Wenen ; het werd vervangen door een 'Kroning van Onze-Lieve-Vrouw' uit de 17de eeuw.

De weelderige decoratie van de schepen, waaraan Rubens en zijn atelier werkten, verdween door de enorme brand van 1788.

Rechts.

Zo rustig als in een dorp, vormt het Hendrik Conscienceplein een harmonieus 17de-eeuws geheel, met het voormalig Jezuïetencollege, nu stadsbibliotheek, en de voorgevel van de Sint-Carolus Borromæuskerk.

*T*oscanes au rez, ioniques à l'étage, les colonnes rythment les arcades en plein cintre. Le majestueux maître-hôtel aux colonnes corinthiennes est éclairé par une petite tour-lanterne dans la semi-coupole abondamment décorée. Le grand tableau que Pierre-Paul Rubens avait peint pour celui-ci est aujourd'hui à Vienne ; il fut remplacé par un Couronnement de la Vierge du XVIIᵉ siècle.

La luxuriante décoration des nefs, à laquelle collaborèrent Rubens et son atelier, disparut au cours du violent incendie de 1788.

Ci-contre.

Tranquille comme une place de village, la place Hendrik Conscience forme un harmonieux ensemble du XVIIᵉ siècle comprenant l'ancien collège des Jésuites (actuellement bibliothèque publique) et la façade de l'église Saint-Charles Borromée.

*T*uscan at ground level and Ionian on the upper storey, the columns support Roman arches. The majestic high altar with its Corinthian columns is illuminated by a small lantern tower in the lavishly decorated demi-cupola. The large altarpiece painted for it by Rubens is now in Vienna. It was replaced by a Coronation of the Virgin of the 17th century.

The luxuriant decoration of the naves executed by Rubens and his studio was destroyed by fire in 1788.

Above.

The former Jesuit College, now the city library, and the façade of Saint Charles Borromeo form a harmonious 17ᵗʰ century group on Hendrik Conscienceplein which is as tranquil as a village green.

*D*er Rundbogengang wird im Erdgeschoss durch toskanische und im Obergeschoss durch ionische Säulen gegliedert. Der majestätische, auf korinthische Säulen gestützte Hauptaltar wird durch einen kleinen Lichtturm in der reich geschmückten Halbkuppel beleuchtet. Das große Gemälde, das Pieter Paul Rubens für den Altar gemalt hatte, befindet sich heute in Wien ; es wurde durch eine Marienkrönung aus dem 17. Jh. ersetzt.

Die reiche Verzierung der Kirchenschiffe, bei der Rubens und sein Atelier mitgewirkt hatten, wurde bei dem großen Feuer 1788 zerstört.

Unten

Friedlich wie ein Dorfplatz liegt der Hendrik Conscience Platz da und bildet zusammen mit dem angrenzenden alten Jesuitenkollegium, in dem jetzt die Stadtbibliothek untergebracht ist, und der Fassade der Karl-Borromäus-Kirche ein harmonisches Ensemble aus dem 17. Jh.

◁ het huis 'De Spiegel'

*E*en kijktoren, zichtbaar via een doorgang in de Wisselstraat, paalt aan het huis 'De Spiegel', dat deel uitmaakte van de oude Beurs. Er bestaan slechts vier van deze zogenaamde 'pagadder-torens'. Dankzij zo'n toren kon de koopman-eigenaar het komen en gaan van zijn schepen op de Schelde volgen. De humanist Ægidius woonde hier in het begin van de 16de eeuw. Hij ontving er zijn collega's Erasmus en Thomas More.

*U*ne tour de guet, visible par un passage dans la Wisselstraat, jouxte la maison *"De Spiegel"* qui faisait partie de l'ancienne Bourse. Il ne subsiste que quatre tours de ce type à Anvers ; sur-nommées ici *paggadertoren*, elles permettaient au marchand qui en était propriétaire d'observer les mouvements de ses navires sur l'Escaut. L'humaniste Ægidius, qui habitait *"Le Miroir"* au début du XVIe siècle, y reçut ses confrères Erasme et Thomas More.

A watchtower called in Antwerp *paggadertoren*, visible when passing by Wisselstraat, adjoins *"De Spiegel"* house which was part of the former Stock Exchange of Antwerp. There are only four remaining in Antwerp. They were used by their merchant proprietors to observe the passage of their ships on the Scheldt. The humanist Ægidius lived in *"The Mirror"* in the early 16th century where he was visited by his brother humanists Erasmus and Thomas More.

*E*in Wachturm, der von der Wisselstraat aus zu sehen ist, grenzt an das Haus *De Spiegel*, das Teil der ehemaligen Börse war. In Antwerpen gibt es nur noch vier Türme dieser Art. Die hier *paggadertoren* genannten Türme ermöglichten dem Händler, dem sie gehörten, das Ein- und Auslaufen seiner Schiffe auf der Schelde zu beobachten. Der Humanist Ägidius, der zu Beginn des 16. Jhs. im „Spiegel" wohnte, empfing dort seine Zeitgenossen Erasmus von Rotterdam und Thomas Morus.

▷ het Vleeshuis

*H*et Vleeshuis werd tussen 1501 en 1503 gebouwd onder lei-ding van Herman de Waghemakere. Het is een beetje zoals een wereldlijke kathedraal opgedragen aan de slachting… 62 slagers-banken bezetten er de gelijkvloerse verdieping. Aangezien het Vleeshuis gedeeltelijk werd gebouwd op de vestinggracht van het Steen, kwamen de schepen direct in de kelders aan om er het vlees op te laden. Vanwege al het bloed dat onvermijdelijk in het water vloeide, werd die ondergrondse passage 'Bloedberg' genoemd.

*T*elle une cathédrale laïque dédiée à la boucherie, la halle aux viandes fut édifiée entre 1501 et 1503 sous la direction de Herman de Waghemakere. Soixante-deux bancs de bouchers occupaient le rez-de-chaussée. Comme la *Vleeshuis* était construite en partie sur la douve du Steen, les bateaux arrivaient directement aux caves et y chargeaient la viande ; le passage souterrain fut appelé *Bloedberg* à cause du sang qui coulait inévi-tablement dans l'eau.

*R*esembling a lay cathedral dedicated to the butcher's art, the meat market was built between 1501 and 1503 under the direc-tion of Herman de Waghemakere. Sixty-two butchers stalls occupied the ground floor. Since the *Vleeshuis* was built partly on the moat of the Steen, boats arrived directly to the *Bloedberg* so called because of the blood that inevitably ran into the water.

*D*as Fleischhaus wurde zwischen 1501 und 1503 von dem Baumeister Herman de Waghemakere errichtet. Im Erdgeschoss befanden sich zweiundsechzig Schlachtbänke. Da das *Vleeshuis* zum Teil auf dem Graben des Steen gebaut wurde, konnten die Boote unmittelbar bis zu den Kellern vorfahren und dort das Fleisch abladen; der unterirdische Durchgang wurde aufgrund des Blutes, das unvermeidlich ins Wasser floss, *Bloedberg* genannt.

REPENSTRAAT

Boven en volgende dubbele bladzijde.

*I*n het grote gebouw in de Vleeshouwersstraat huist nu het Museum voor Toegepaste Kunst en Archeologie, vol wapens en wapenuitrustingen, glas-in-loodramen, beeldhouwwerken, schilderijen en wandtapijten, alsook een collectie oude muziek-instrumenten. Er zijn ook enkele kamers zo ingericht dat ze het dagelijks leven van de Antwerpse burgers reconstrueren. Zoals de kwaliteit van de meubels, suggereerde ook de groot-te van de schouw de sociale rang van haar eigenaar.

Hierboven, rechts.

Zoals alle raadszalen van machtige Antwerpse gilden, wilde ook die van de slagers graag schitteren. De barokke meubels zijn jonger dan de monumentale 16de-eeuwse schouw.

Ci-dessus et double page suivante.

*D*ésormais musée des Arts décoratifs anversois, le vaste bâtiment de la Vleeshouwersstraat renferme armes et armures, vitraux, sculptures, peintures et tapisseries, ainsi qu'un ensemble d'instruments de musique anciens. Y ont éga-lement été aménagés quelques intérieurs qui reconstituent la vie quotidienne des patriciens anversois. Tout comme la quali-té du mobilier, la dimension de la cheminée y suggère le rang social de son propriétaire.

Ci-dessus, à droite.

Comme toutes les salles du conseil des puissantes guildes anversoises, celle des bouchers se voulait prestigieuse. Son mobilier baroque est postérieur à la monumentale cheminée du XVIe siècle.

Above and next double page.

Now the Antwerp Decorative Arts Museum, the huge building on the Vleeshouwersstraat contains arms and armour, stained glass, sculpture, paintings and tapestries as well as ancient musical instruments. Several typical interiors reconstituting the everyday life of Antwerp patricians have also been set up. The quality of the furniture and the size of the fireplace indicated their social status.

Above, right.

The butchers guild like all other Antwerp guilds, wished to have an impressive council chamber. The baroque furniture is of a later date than the monumental 16th century fireplace.

Oben und nächste Doppelseite

Das große Gebäude in der Vleeshouwersstraat, in dem jetzt das Antwerpener Museum für dekorative Kunst untergebracht ist, beherbergt Waffen und Rüstungen, Glasmalereien, Skulpturen, Gemälde und Wandteppiche sowie eine Sammlung von alten Musikinstrumenten. Dort sind ebenfalls einige Inneneinrichtungen ausgestellt, die den Alltag der Antwerpener Adelsfamilien zeigen. So wie die Qualität der Möbel spiegelt auch die Größe des Kamins die gesellschaftliche Stellung seines Besitzers wider.

Oben, rechts

Wie alle Ratssäle der mächtigen Antwerpener Gilden sollte auch der der Fleischer Prestige vermitteln. Sein barockes Mobiliar stammt aus einer späteren Zeit als der monumentale Kamin aus dem 16. Jh.

het Steen

Op de plaats van het Steen ontstond in het midden van de 9de eeuw een fort, dat door een aarden wal tegen de invallen van de Noormannen werd beschermd. Het fort bleef verder bestaan, werd vervolgens versterkt, en, rond 1220, met het verder ontsluiten van de stad, begon men aan de bouw van de huidige burcht. 3 eeuw later was deze een ruïne, maar in 1520 verordende Keizer Karel de reconstructie op basis van oude stenen grondslagen. Opeenvolgend diende het Steen als gevangenis, tehuis voor oorlogsinvaliden, zagerij, visopslagplaats, om tenslotte in 1889 door de Stad Antwerpen gerestaureerd te worden. Eerst werd zij een archeologisch museum, daarna, in 1952, het huidige Zeevaartmuseum.

Boven.

Het Steen heeft enkele zalen gewijd aan de tijden van de Inquisitie. De verdachten werden hier na hun arrestatie ondervraagd. Het 17de-eeuws meubilair wist de herinnering aan deze troebele tijden uit, zoals in de salon met de grote renaissanceschouw.

À l'emplacement du Steen se dressait, au milieu du IXe siècle, un fortin protégé par une levée de terre pour s'opposer aux attaques des Normands. L'endroit demeura fortifié par la suite et, vers 1220, on entreprit la construction du château actuel puis de l'enceinte de la ville. Trois siècles plus tard, il était en ruine mais, en 1520, l'empereur Charles Quint ordonna la reconstruction sur la base des anciens soubassements. Successivement prison, maison pour invalides de guerre, scierie, entrepôt de poisson, le Steen fut restauré par la ville d'Anvers en 1889 ; elle en fit d'abord un musée archéologique puis, en 1952, l'actuel musée de la Marine.

Ci-dessus.

Le Steen a conservé quelques salles où revivent les temps de l'Inquisition. Les suspects y étaient interrogés après leur arrestation. Le mobilier du XVIIe siècle efface le souvenir de ces temps troublés, comme dans ce salon à la grande cheminée Renaissance.

In the middle of the 9th century a small fort with earthen ramparts stood on the site of the Steen as a defense against Viking raids. The site remained fortified until around 1220 when construction of the present castle and the city walls began. Three centuries later it was in ruins and in 1520 Emperor Charles the Fifth decreed that it be rebuilt on its old foundations. Successively a prison, a home for war invalids, a sawmill and a fish depot the Steen was restored by the city of Antwerp in 1889. It was at first an archæological museum and then became the Marine Museum in 1952.

Above.

The Steen has preserved several rooms that relive the time of the Inquisition, where suspects were tortured after being arrested. The 17th century furniture helps blot out memories of those troubled times such as in this salon with a large Renaissance fireplace.

An der Stelle der Burg Steen befand sich Mitte des 9. Jhs. ein kleines, von einem Erdwall geschütztes Fort als Bollwerk gegen die Angriffe der Normannen. In der Folgezeit blieb der Ort befestigt. Gegen 1220 begann man mit dem Bau der jetzigen Burg und dann der Stadtmauern. Drei Jahrhunderte später war die Burg nur noch Ruine, doch im Jahr 1520 ordnete Kaiser Karl V. ihren Wiederaufbau auf alten Kalksteinsockeln an. Das Bauwerk, das nacheinander als Gefängnis, Heim für Kriegsinvalide, Sägewerk und Fischlagerhalle diente, wurde 1889 von der Stadt Antwerpen restauriert. Sie richtete dort zunächst ein archäologisches Museum ein und später, im Jahr 1952, dann das jetzige Schifffahrtsmuseum.

Oben

Neben den Räumen mit Themen zur Geschichte der Marine findet man in der Burg Steen auch einige Säle, die die Zeiten der Inquisition wieder aufleben lassen. Nach ihrer Festnahme wurden die Verdächtigen dort verhört. Das Mobiliar aus dem 17. Jh., wie es in dem Saal mit dem großen Kamin aus der Renaissance zu sehen ist, löscht die Erinnerung an diese stürmischen Zeiten aus.

de Sint-Pauluskerk

De Sint-Pauluskerk (1571-1639) van de Broeders Predik-
heren was, alvorens in 1806 voor de parochiedienst geopend te
worden, de meest gotische kerk van Antwerpen. De toren werd
zo'n 40 jaar na de voltooiing van de kerk opgericht en gelijkt
erg op de campanile van de Sint-Carolus Borromæuskerk. De
nabijheid van de haven maakte van de Sint-Paulus de uitver-
koren kerk van de schippers, wanneer ze de kroegen in de
buurt eens niet opzochten.

In de nacht van 2 op 3 april 1968 verwoestte een brand het
dak van de kerk en het klooster, en beschadigde de toren : 5
klokken smolten in de vlammen weg. De restauratie duurde
20 jaar.

Gebouwd op de hoek van de Veemarkt (en vreemd genoeg
een lange gang verwijderd van de kerk waarop zij toegang
geeft) dateert de barokke gevel van de kerk van 1734.

Édifiée de 1571 à 1639, l'église Saint-Paul, qui appartenait
aux Frères Prêcheurs avant d'être ouverte au culte paroissial en
1806, constitue l'ultime église gothique d'Anvers. Dressée une
quarantaine d'années après l'achèvement de l'édifice, la tour
doit beaucoup au campanile de l'église Saint-Charles
Borromée. La proximité du port fit de Saint-Paul le sanctuaire
préféré des marins, quand ils ne fréquentaient pas les bars du
quartier.

Dans la nuit du 2 au 3 avril 1968, un incendie détruisit la
toiture de l'église et le cloître, et endommagea la tour ; cinq
cloches fondirent dans les flammes. La restauration ne s'acheva que vingt ans plus tard.

Édifié au coin du Veemarkt, curieusement éloigné de l'église à
laquelle on accède à l'extrémité d'un couloir, le portail baroque
de l'église date de 1734.

Saint Paul's church, built between 1571 and 1639, was the last Gothic church built in Antwerp. It belonged to the Preaching Brothers before becoming a parish church in 1806. The tower built forty years after the church owes much to the bell tower of Saint Charles Borromeo. Its proximity to the port made Saint Paul's the favorite refuge of sailors when they weren't in the neighborhood bars.

On the night of April 2-3, 1968 a huge conflagration destroyed the roof and cloister and damaged the tower. Five bells melted in the flames. Restoration was completed only twenty years later.

The portal of the church dating from 1734 stands on a corner of the Veemarkt curiously far away from the church which is reached by a long corridor.

Die von 1571 bis 1639 erbaute Paulskirche, die, bevor sie 1806 einer Gemeinde zugänglich gemacht wurde, den Dominikanern gehört hatte, ist die letzte gotische Kirche Antwerpens. Der rund vierzig Jahre nach Fertigstellung des Gebäudes errichtete Turm erinnert an den frei stehenden Glockenturm der Karl-Borromäus-Kirche. Aufgrund der Nähe zum Hafen wurde die Paulskirche zur bevorzugten Kirche der Seeleute, wenn sich diese gerade nicht in den Kneipen des Viertels aufhielten.

In der Nacht vom 2. auf den 3. April 1968 zerstörte ein Brand den Dachstuhl und den Kreuzgang der Kirche und beschädigte den Turm ; fünf Glocken zerschmolzen in den Flammen. Erst zwanzig Jahre später konnte die Restaurierung abgeschlossen werden.

Das im Barock-Stil gehaltene Kirchenportal, das an der Ecke zum Veemarkt und sonderbarerweise abseits der durch einen Gang zu betretenden Kirche errichtet wurde, stammt aus dem Jahre 1734.

Vorige dubbele bladzijde.

𝒲at kunstschatten betreft, is de Sint-Paulus één van de rijk-ste kerken uit. Zij herbergt tientallen schilderijen, waaronder 'De Kruisiging van Christus', 'De geboorte van Christus' en 'Het dispuut van het Heilig Sacrament' van Pieter-Paul Rubens, de 'Kruisiging' van Jacob Jordaens en enkele jeugdwerken van Antoon van Dyck. Ook de honderden beeldhouwwerken, waaronder de beste van Artus Quellinus de Jonge, Willem Kerrics en, vooral, Pieter Verbruggen.

Hierboven.

Zijn contrareformatorische theatraliteit maakt van de tegen de Sint-Pauluskerk aanleunende 'Calvarieberg' een uniek monument met in steen gebeeldhouwde patriarchen, pelgrims, profeten en wenende engelen. De gebroeders van Ketwigh ont-wierpen de nogal vreemd aandoende enscenering in 1709, maar deden dan gelukkig een beroep op vooraanstaande beeld-houwers van hun tijd zoals Quellinus, de Cock, Van Papenhoven en van Baurscheit d.O.

Previous double page.

𝒮aint Paul's church is one of the richest in works of art. Dozens of pictures are kept here such as "The Scourging of Christ", a Nativity and "The Dispute of the Blessed Sacrament" by Peter Paul Rubens, a "Death on the Cross" by Jacob Jordaens and works by the young Anthony Van Dyck. Sculptures by the hundreds form a collection unique in Belgium, among them the best of Artus Quellinus the Younger, Willem Kerrics and most especially Peter Verbruggen.

Above.

Stone statues of the patriarchs, pilgrims, prophets and weep-ing angels form the unique and highly theatrical Calvary at the foot of the church of Saint Paul. The van Ketwigh brothers were responsible for this extraordinary scene, created in 1709. Happily, they commissioned the best sculptors of the period – Quellinus, de Cock, van Papenhoven and van Baurscheit the Elder – which ensured its artistic quality.

Double page précédente.

ℒ'église Saint-Paul est l'une des plus riches en œuvres d'art. Des dizaines de tableaux y sont conservés, dont "La Flagellation du Christ", une Nativité et "La Dispute du Saint-Sacrement" de Pierre-Paul Rubens, une "Mort de Jésus en croix" de Jacob Jordaens et des œuvres de jeunesse d'Antoine Van Dyck. Formant un ensemble unique en Belgique, les sculp-tures se comptent par centaines parmi lesquelles les meilleures d'Artus Quellin le Jeune, Willem Kerrics et, surtout, Peter Verbruggen.

Ci-dessus.

Théâtral à souhait, unique en son genre, le Calvaire groupe au pied de l'église Saint-Paul les statues en pierre de patriarches, pèlerins, prophètes et anges éplorés. Les frères van Ketwigh furent à l'origine de cette mise en scène en 1709. Ils firent appel – ce qui sauva la mise – à d'excellents sculpteurs de leur temps : Quellin, de Cock, Van Papenhoven et van Baur-scheit l'aîné.

Vorige Doppelseite

𝒟ie Paulskirche ist eine der am reichsten mit Kunstwerken ausgestatteten Gotteshäuser. Dutzende von Gemälden befin-den sich dort, darunter „Die Geißelung Christi", eine Darstellung der Geburt Christi und „Die Disputation der Kirchenväter über die Hl. Eucharistie" von Peter Paul Rubens, die „Kreuzigung" von Jacob Jordaens und Werke des jungen Antoon van Dyck. Unter den mehreren hundert Skulpturen, die ein in ganz Belgien einzigartiges Ensemble bilden, befinden sich die besten Arbeiten von Artus Quellinus dem Jüngeren, Willem Kerrics und vor allem Pieter Verbruggen.

Oben

In seiner barocken Theatralik ist der Kalvarienberg unüber-troffen : In Scharen drängen sich steinerne Patriarchen, Pilger, Propheten und in Tränen badende Engel um das Golgotha im Garten der St.-Pauluskirche. Die Beiträge der besten Bildhauer der Zeit – Quellinus, de Cock, Van Papenhoven, van Baurscheit d.Ä. – retten dieses ausgefallene Gruppenbild, das die Gebrüder van Ketwigh 1709 entwarfen.

▷ de Stoelstraat

𝒩iet ver van de Sint-Pauluskerk lieten restauraties en reconstructies toe de Stoelstraat opnieuw een middeleeuws karakter te geven. Het pittoresk aspect wint het hier echter van het authentieke. Naast de bakstenen huizen herneemt een houten gevel in zijn top de traditionele indeling en decoratie.

𝒩on loin de l'église Saint-Paul, les restaurations et reconstructions ont permis à la Stoelstraat de recouvrer un caractère médiéval, où le pittoresque l'emporte cependant sur l'authentique. Avoisinant des demeures de brique, une façade en bois reprend, à son sommet, la disposition et la décoration traditionnelles.

𝒪n Stoelstraat not far from Saint Paul's church reconstruction and restoration have achieved a mediæval aspect though the picturesque triumphs over the authentic. Among the brick houses a wooden façade displays the traditional arrangement and decoration at the top.

𝒩icht weit von der Paulskirche entfernt wurde der Stoelstraat durch Restaurierungs- und Wiederaufbauarbeiten wieder ein mittelalterlicher Charakter verliehen, wobei jedoch das Pittoreske gegenüber dem Authentischen überwiegt. Neben Backsteinhäusern nimmt an ihrem oberen Ende eine Fassade aus Holz die traditionelle Anordnung und Verzierung wieder auf.

▷▷ 'de Gulden Rheyn'

𝒟e binnenkoer van het huis 'De Gulden Rheyn' is aan drie kanten omgeven door een elegante galerij, toegeschreven aan Domien de Waghemakere. Het huis diende ooit als eerste beurs ; het torentje, de zogenaamde 'pagaddertoren', is hier getuige van. Verschillende pijlers tonen nog steeds de wapenschilden van de gildenfamilies. Door het komen en gaan van de paarden, koetsen en karren was het hier vroeger een levendige plaats, nu is het hier rustig, slechts bezocht door het personeel van het Stedelijk Onderwijs en enkele nieuwsgierige voorbijgangers.

ℋofstraat 15, la cour intérieure de la maison "De Gulden Rheyn" – qui servit de première bourse, dont subsiste la *paggadertoren*, la tourelle – fut dotée sur trois côtés d'une gracieuse galerie attribuée à Domien de Waghemakere. Différents piliers présentent encore les armoiries de familles marchandes. Jadis animé par le va-et-vient des chevaux, chariots et carosses, ce lieu est aujourd'hui paisible, hanté seulement par les visiteurs du service communal de l'Instruction et par les touristes les plus curieux.

𝒯he mansion "De Gulden Rheyn" at Hofstraat 15 was the first stock exchange. The *paggadertoren* or observation turret still exists as does a graceful gallery on three sides of the inner courtyard, attributed to Domien de Waghemakere. Various pillars still bear the arms of merchant families. This site once bustled with horses, wagons and carriages but now is very peaceful, visited only by visitors to the municipal education service and a few curious tourists.

ℐn der Hofstraat 15 wurde der Innenhof des Hauses „De Gulden Rheyn" – welches als erste Börse diente, deren Türmchen *pagga-dertoren* noch erhalten ist, – auf drei Seiten mit einem anmutigen Säulengang ausgebaut, vermutlich das Werk von Domien de Waghemakere. Auf mehreren Pfeilern sind noch die Wappen der Kaufmannsfamilien zu sehen. Dieser früher vom Kommen und Gehen der Pferde, Wagen und Kutschen belebte Ort ist heute sehr friedlich. Die Ruhe wird nur durch Besucher der lokalen Ermittlungsbehörde und durch besonders neugierige Touristen gestört.

'de Gulden Hand'

Als men de grote renaissancepoort van de 'Gulden Hand' (1563) in de Zirkstraat nummer 34 opent, komt men op een binnenkoer uit met rondom een 17de eeuwse galerij waarvan de arcaden op zuiltjes rusten. Het gebouw komt geen ruimte tekort. Nu drijft men er onder het vaandel 'El Valenciano' handel in Spaanse goederen. De aloude thesis volgens dewelke het huis eertijds als zoutbeurs zou gediend hebben, wordt door de grote kelders aangetoond.

At 34 Zirkstraat the great Renaissance door of "the Golden Hand" (1563) opens onto an inner courtyard bordered by a 17th century arcade whose arches rest on colonnettes. This spacious building now houses a Spanish company called *El Valenciano*. The large cellars give credence to the theory that it was once the salt market.

Au numéro 34 de la Zirkstraat, le grand portail Renaissance de la maison *"De Gulden Hand"* (1563) s'ouvre sur une cour intérieure, bordée d'une galerie du XVIIe siècle dont les arcades reposent sur des colonnettes. Le bâtiment ne manque pas d'ampleur. Désormais commerce de produits espagnols à l'enseigne d'*El Valenciano*, ses vastes caves accréditent la thèse selon laquelle il servait jadis de Bourse du sel.

In der Zirkstraat Nr. 34 gelangt man durch das große Renaissance-Portal des Gebäudes *Gulden Hand* (1563) in einen Innenhof, der von einer aus dem 17. Jh. stammenden Arkadengalerie mit kleinen Säulen umgeben ist. Das Haus ist sehr großzügig angelegt. Die weitläufigen Kellerräume des Gebäudes, in dem sich jetzt das spanische Spezialitätengeschäft „*El Valenciano*" befindet, lassen die Behauptung glaubwürdig erscheinen, derzufolge das Gebäude früher als Salzbörse gedient habe.

het Brouwershuis

*I*n 1553 bouwde de ingenieur en geniale zakenman Gilbert van Schoonbeke in het noordelijk gedeelte van de stad een waterhuis om de talrijke door hem opgerichte brouwerijen van water te voorzien. In zijn traditionele Vlaamse stijl is het Brouwershuis (Adriaan Brouwersstraat 20) niet bepaald speciaal te noemen, maar zij verbergt wel, bijna intakt, een installatie die in de wereld zijn gelijke niet kent en die bijna vier eeuw lang werd gebruikt, namelijk tot in 1930.

Vanuit een bekken vlakbij de omwallingen vloeide het water door een kanalennet en kwam in de grote kelder-reservoir terecht (*rechtsonder*) waarvan het gewelf meer dan een meter dik is. Een jakobsladder met ijzeren of loden bekertjes bracht het water vervolgens naar boven, waar het tenslotte gedistribueerd werd. Tot in 1873 werden machines en pompen door een rosmolen (een molen bewogen door paarden), aangedreven (*rechtsboven*). Het ijzeren raderwerk is voorzien van tanden in hard hout om herstellingen te vergemakkelijken.

Boven. De gang leidt

naar de vergaderzaal en naar de trap. Boven het begin van de trap ziet met een houten beeldje hangen.

*É*n 1553, l'ingénieur et génial homme d'affaires Gilbert van Schoonbeke construisit, dans le quartier septentrional de la ville, une *waterhuis*, une "maison hydraulique" destinée à approvisionner en eau les nombreuses brasseries qu'il avait créées. La *Brouwershuis* (la Maison des brasseurs, Adriaan Brouwersstraat 20) ne paie pas de mine mais elle recèle, quasi intacte, une installation qui n'a pas sa pareille au monde et fut utilisée pendant près de quatre siècles, jusqu'en 1930.

L'eau arrivait par un réseau de canalisations depuis un bassin situé près des remparts. Elle débouchait dans la cave-réservoir (*page de droite, en bas*) dont la voûte mesure plus d'un mètre d'épaisseur. Une noria munie de godets amenait l'eau à l'étage, d'où elle était distribuée dans les environs. Jusqu'en 1873, machines et pompes étaient actionnées par un moulin mû par des chevaux (*en haut*) ; ses rouages de fer sont munis de dents en bois dur pour faciliter les réparations.

Ci-contre. Un couloir mène à la salle de réunion et à l'escalier dont le départ est sommé d'une statuette en bois.

*I*n 1553 Gilbert van Schoonbeke, an engineer and dynamic businessman, built a *waterhuis* or pump house in the northern section of the city to provide water to the many breweries he had established. The unassuming Brouwershuis or Brewers House, now a museum at 20 Adriaan Brouwerstraat, contains the nearly intact hydraulic installation, unique in the world, which was used for nearly four centuries until 1930.

The water flowed through a system of pipes from a reservoir near the ramparts to the huge underground tank (*page right, below*) whose vault measures more than a meter thick. A chain pump with iron scoops raised the water to the upper storey where it was distributed. Until 1873 the machines and pumps were activated by a millwheel powered by horses (*page right, above*). The iron gearworks have wooden teeth to facilitate repairs.

Above.
A corridor leads to the meeting room and a staircase with a wooden statuette at the base.

*I*m Jahr 1553 baute der Ingenieur und erfolgreiche Geschäftsmann Gilbert van Schoonbeke im nördlichen Viertel der Stadt ein *waterhuis*, ein „Wasserhaus", zur Sicherstellung der Wasserversorgung seiner zahlreichen Brauereien. Das *Brouwershuis* („Haus der Brauer", Adriaan Brouwersstraat 20) sieht zwar nicht sehr einladend aus, es beherbergt aber eine nahezu intakte Anlage, die ihresgleichen sucht und bis 1930 fast vier Jahrhunderte lang benutzt wurde.

Das Wasser wurde aus einem Becken in der Nähe der Stadtmauern in ein Kanalisationssystem geleitet und gelangte dann in den großen unterirdischen Wasserspeicher (*rechte Seite, unten*), dessen Gewölbe eine Dicke von mehr als einem Meter aufweist. Ein Schöpfrad mit Bechern aus Eisen oder Blei förderte das Wasser nach oben, wo es in die verschiedenen Richtungen verteilt wurde. Bis 1873 wurden die Maschinen und Pumpen mit einer von Pferden angetriebenen Mühle in Gang gehalten (*oben*). Zur leichteren Reparatur verfügt das Räderwerk aus Eisen über Zacken aus hartem Holz.

Oben. Ein Gang führt zum Versammlungsraum und zur Treppe, an deren unterem Ende sich eine kleine Holzstatue befindet.

◁ het pakhuis Sint-Felix

Net zoals in Engeland in die tijd, werden er in de tweede helft van de 19de eeuw meerdere opslagplaatsen in de nabijheid van de oude haven gebouwd. Twee grote tegenover elkaar liggende koetspoorten geven toegang tot het koetshuis Sint-Felix (1863), een verticale constructie van zeven etages waarvan het steungebinte in gietijzer is. Op de gelijkvloers ziet men brede toegangen waarlangs de handelswaar van de 'Generale Compagnie van Spoorwegmateriaal' werd geleid alvorens weggebracht te worden, via hydraulische kranen, naar de grote ruimten op de eerste verdieping.

Comme en Angleterre à la même époque, plusieurs entrepôts furent construits à proximité de l'ancien port durant la seconde moitié du XIXᵉ siècle. Deux grandes portes cochères en vis-à-vis donnent accès à l'entrepôt Sint-Felix (1863), construction verticale de sept niveaux dont les structures portantes sont en fonte. Au rez-de-chaussée s'alignent les larges accès par où les marchandises de la "Compagnie générale de Matériel de Chemins de Fer" étaient acheminées avant d'être transportées, par grues hydrauliques, jusqu'aux vastes locaux de l'étage.

As in England a number of warehouses were built near the old port in the second half of the 19ᵗʰ century. Two large carriage entrances facing eachother give access to the Sint Felix warehouse (1863), a seven-storey high building whose bearing parts are in cast iron. The ground floor is lined with wide openings by which the goods of the "General Railway Materiel Company" entered before being hoisted by hydraulic cranes to the huge storage spaces above.

Wie zur gleichen Zeit in England wurden in der zweiten Hälfte des 19. Jhs. in der Nähe des alten Hafens mehrere Speicherhäuser errichtet. Zwei große, einander gegenüber liegende Einfahrtstore führen in das Speicherhaus Sint-Felix (1863), einen siebenstöckigen Bau mit einem Tragwerk aus Gusseisen. Im Erdgeschoss befinden sich die breiten Zugänge, über die die Güter der „Generalgesellschaft für Eisenbahnmaterial" befördert wurden, bevor man sie mit Hilfe von Wasserkränen bis zu den weiträumigen Lagerstätten in den oberen Stockwerken transportierte.

△ het Hessenhuis

Op vraag van de kooplieden, die moeilijkheden ondervonden bij het laden en lossen van hun karren, besloot de stadsmagistraat in 1563 speciaal voor hen een gebouw op te richten. Dit gebouw kreeg de naam 'Hessenhuis', maar dat betekent helemaal niet dat het uitsluitend voor kooplieden uit dit Duitse prinsdom voorbehouden was. Alvorens de educatieve diensten van de stadsmusea er in ondergebracht werden, had het Hessenhuis nog verschillende andere bestemmingen (kazerne, opslagplaats).

À la demande des marchands qui éprouvaient des difficultés pour le chargement et déchargement de leurs chariots, le Magistrat de la ville décida en 1563 l'érection d'un bâtiment à leur intention. Il prit le nom de Maison de Hesse mais cela ne signifie pas qu'il fut exclusivement utilisé par les marchands de cette principauté allemande. La Hessenhuis eut par la suite diverses destinations, caserne, entrepôt, avant d'abriter les services éducatifs des musées de la ville.

In response to merchants who complained of difficulty in loading and unloading their wagons the City Magistrate decided in 1563 to construct a building for this purpose. It was called Hesse House but that does not mean it was used exclusively by merchants of the German principality. The Hessenhuis was later used for various purposes such as barracks or warehouses until it became the office of the city museums educational service.

Auf die Bitte der Kaufleute hin, die Schwierigkeiten beim Be- und Entladen ihrer Wagen hatten, beschloss der Magistrat der Stadt 1563 die Errichtung eines Gebäudes nach deren Vorstellungen. Dieses bekam den Namen „Hessenhaus", was aber nicht bedeutet, dass es nur von Händlern aus dem deutschen Fürstentum Hessen genutzt worden wäre. Das Hessenhuis hatte in der Folgezeit verschiedene Bestimmungen : Es diente als Kaserne und als Lagerhalle, bevor in ihm die pädagogischen Abteilungen der städtischen Museen untergebracht wurden.

◁ ◁ △ het Begijnhof

*D*e begijnen waren ongehuwde vrouwen of weduwen die én de verplichtingen van het kloosterleven wilden ontvluchten én in dienst van de armen en de zieken wilden leven. Zij verenigden zich in een vrome gemeenschap, vrij die te verlaten wanneer ze maar wilden. In de 13de eeuw werd een eerste begijnhof buiten de omwallingen van Antwerpen gesticht. De beeldenstormers vernielden het echter helemaal in 1542. De begijnen herbouwden toen de kleine huisjes en kerk van hun gemeenschap binnen de omwallingen, namelijk in de Rodestraat. Maar onder de Franse bezetting werd de kerk alweer vernield en dienden de overgebleven gebouwen als kazerne. Het was al 1819 vooraleer de stad het begijnhof aan zijn rechtmatige eigenaressen teruggaf.

*T*he béguines, either widows or spinsters who wished to escape the constraints of convent life but at the same time lead useful lives helping the poor and sick, joined together to form a pious community that they could leave if they so wished. In Antwerp a first béguinage was founded outside the ramparts in the 13th century. It was completely destroyed by the iconoclasts in 1542. The béguines rebuilt their little houses and church on the Rodestraat. Under the French the church was demolished and the remaining buildings used as barracks. It was not until 1819 that the city returned the béguinage to its rightful owners.

*V*oulant, à la fois, échapper aux contraintes de la vie monastique et mener une existence utile aux pauvres et aux malades, les béguines, femmes célibataires ou veuves, se groupaient dans une communauté pieuse tout en ayant la liberté de la quitter quand cela leur plairait. À Anvers, un premier béguinage fut fondé au XIIIe siècle en dehors des remparts. Les iconoclastes le détruisirent complètement en 1542. Les béguines reconstruisirent alors leurs petites demeures et l'église de la communauté dans la Rodestraat. Sous l'occupation française, l'église fut démolie et les bâtiments épargnés servirent de caserne. Ce n'est qu'en 1819 que la ville remit le béguinage à ses légitimes occupantes.

*A*us dem Wunsch heraus, einerseits die Zwänge eines Klosterlebens zu umgehen, andererseits aber ein den Armen und Kranken gewidmetes Leben zu führen, schlossen sich die Beginen, allein stehende oder verwitwete Frauen, zu einer frommen Gemeinschaft zusammen, wobei es ihnen freistand, diese jeder Zeit wieder zu verlassen. In Antwerpen wurde der erste Beginenhof im 13. Jh. außerhalb der Stadtmauern gegründet. 1542 wurde dieser von den Bilderstürmern völlig zerstört. Die Beginen bauten daraufhin ihre kleinen Wohnhäuser und die Kirche der Gemeinschaft in der Rodestraat wieder auf. Unter der französischen Besatzung wurde die Kirche zerstört und die verschont gebliebenen Gebäude wurden als Kaserne genutzt. Erst 1819 übergab die Stadt den Beginenhof wieder an seine rechtmäßigen Bewohnerinnen.

GODTSHVYS, GEFONDEERT
BY
CORNELIS LANTSCHOT
ANNO 1666

◁ het godshuis van Lantschot

De testamentaire wil van Cornelis van Lantschot respecterend, werd in 1656 aan de Falconrui een godshuis gesticht. Een pest-epidemie hield toen immers lelijk huis in de stad, de kapel is trouwens aan de Heilige Rosalia opgedragen tot wie men zich in dergelijke rampspoed richtte. Het barokke portaal vermeerdert het aantal voluten tussen de twee zuilen met composietkapitelen.

Respectant la volonté testamentaire de Corneille van Lantschot, un hospice fut fondé en 1656 dans la Falconrui. Une épidémie de peste ravageait alors la ville ; la chapelle est d'ailleurs dédiée à sainte Rosalie qu'on invoquait en ces circonstances tragiques. Le portail baroque multiplie les volutes entre deux colonnes à chapiteau composite.

In compliance with the will of Cornelis van Lantschot an almshouse was founded in 1656 and dedicated to him. At that time the plague was raging in the city and so it was fitting that the chapel was dedicated to Saint Rosalie who was invoked in tragic circumstances. The baroque portal at 47 Falconrui has multiple volutes between the two columns with composite capitals.

Nach dem Letzten Willen von Cornelis van Lantschot wurde in der Falconrui 1656 ein Hospiz gegründet. Damals wurde die Stadt von der Pest heimgesucht ; die Kapelle ist daher der heiligen Rosalia gewidmet, die man in diesen tragischen Zeiten anrief. Das Barock-Portal weist zwischen zwei Säulen mit zusammengesetzten Kapitellen eine Vielzahl von Voluten auf.

▷ de van Straelentoren

Bovenaan de zes verdiepingen tellende renaissancetoren in de Korte Sint-Annastraat nummer 4 ziet men een belvédère waarin men de Italiaanse stijl van zijn architect, Cornelis Floris, de ontwerper van het stadhuis, herkent. Antoon van Straelen heeft er niet lang mogen wonen. Hij was actief in de strijd tegen het absolutisme van de Spaanse koning Filips II en bevriend met Willem I van Oranje, bijgenaamd De Zwijger. Alva liet hem op 9 september 1567, terzelfdertijd als de graven Egmond en Hoorne, aanhouden. Hij werd in 1568 in Vilvoorde onthoofd.

Haute de six niveaux, la tour Renaissance au numéro 4 de la Korte Sint-Annastraat s'achève par un belvédère où l'on reconnaît le style "italien" de son architecte, Corneille Floris, l'auteur de l'hôtel de ville. Antoine van Straelen n'y vécut que peu de temps. Ami de Guillaume Iᵉʳ d'Orange (dit le Taciturne) et personnalité influente dans la lutte contre l'absolutisme du roi d'Espagne Philippe II, il fut arrêté par le duc d'Albe le 9 septembre 1567 en même temps que les comtes d'Egmont et de Hornes. Il fut décapité à Vilvorde en 1568.

The six-storey high Renaissance tower at 4 Korte Sint-Annastraat is topped by an Italiante belvedere typical of Cornelis Floris, the architect who also built the City Hall. Anton van Straelen resided there only a short while. An influential opponent of Philip II of Spain and an ally of William the Silent of Orange, he was arrested by the Duke of Alba on September 9, 1567, the same day as the Counts of Egmont and Hoorne. He was beheaded at Vilvoorde in 1568.

Der sechsgeschossige Renaissance-Turm in der Korte Sint-Annastraat Nr. 4 endet in einer Aussichtsterrasse, die den „italienischen" Stil seines Architekten Cornelis Floris, dem Schöpfer des Rathauses, erkennen lässt. Antoon van Straelen lebte dort nur kurze Zeit. Der einflussreiche Mann im Kampf gegen den Absolutismus des spanischen Königs Philipp II. und Freund von Wilhelm I. von Oranien wurde am 9. September 1567, zur gleichen Zeit wie die Grafen Egmont und Horn, durch den Herzog von Alba gefangen genommen. 1568 wurde er in Vilvoorde enthauptet.

het Hof van Liere

Door zijn exceptionele omvang (5.600 vierkante meter) en lengte (72 meter) genoot het paleis dat Arnold van Liere in 1515 op de plannen van Domien de Waghemakere liet bouwen zo'n reputatie dat de jonge Keizer Karel, op doortocht in Antwerpen, besloot er met zijn talrijk gevolg te verblijven. Kort daarop was eveneens Albrecht Dürer zo onder de indruk dat hij in zijn dagboek schreef: "Nooit eerder zag ik in een Duits land zo'n luxueus huis".

In 1558 werd de stad eigenaar van het gebouw en droeg het over aan de 'gouverneurs en kooplui van het gemenebest Engeland', die er hun bureaus en wolopslagplaatsen installeerden. Antwerpen was in de Gouden Eeuw de 'Metropool van het Westen'.

The palace built by Arnold van Liere in 1515 covers 5600 square meters and has an exceptional length of 72 meters. It was designed by Domien de Waghemakere. Its reputation was such that the young Charles the Fifth who was visiting Antwerp decided to stay there with his numerous train. Shortly thereafter Albrecht Dürer was so impressed by the *Hof van Liere* that he wrote in his Journal " Never have I seen such a sumptuous residence in all the German lands ".

In 1558 when the city acquired the building it leased it to "the governors and merchants of the English nation" who used it for their offices and wool warehouses. This was during the Golden Century of the Metropolis of the Occident.

D'une ampleur (5.600 mètres carrés) et d'une longueur (72 mètres) exceptionnelles, le palais qu'Arnold van Liere se fit construire en 1515, sur les plans de Domien de Waghemakere, jouissait d'une réputation telle que le jeune Charles Quint, de passage à Anvers, décida d'y loger avec sa nombreuse suite. Peu de temps après, Albrecht Dürer fut à ce point impressionné par le *Hof van Liere* qu'il nota dans son Journal : «Jamais je n'ai vu dans tous les pays allemands une demeure aussi somptueuse.»

En 1558, la ville, devenue propriétaire du bâtiment, le céda aux "gouverneurs et marchands de la commune nation d'Angleterre" qui y installèrent leurs bureaux et entrepôts de laine. C'était au Siècle d'Or de la "Métropole d'Occident".

Das außergewöhnlich große (5.600 Quadratmeter) und lange (72 Meter) Palais, das sich Arnold van Liere 1515 nach Plänen von Domien de Waghemakere bauen ließ, war so berühmt, dass der junge Karl V. bei einer Durchreise durch Antwerpen beschloss, dort mit seiner zahlreichen Gefolgschaft zu übernachten. Kurze Zeit später zeigte sich Albrecht Dürer von dem *Hof van Liere* dermaßen beeindruckt, dass er in sein Tagebuch schrieb, er habe in allen deutschen Ländern noch nie ein so prachtvolles Anwesen gesehen.

Im Jahre 1558 trat die Stadt das Gebäude, dessen Eigentümerin sie inzwischen war, an die „Statthalter und Kaufleute der gemeinsamen Nation von England" ab, die dort ihre Büros und Wolllager einrichteten. Das geschah im goldenen Zeitalter der „Metropole des Westens".

Onder het bewind van de aartshertogen Albrecht en Isabella vestigden de Jezuïeten hun college in dit 'Engelsch Huis', maar keizerin Maria-Theresia maakte al vlug een eind aan hun aanwezigheid. Ze keerden er pas in 1930 terug, als hoofd van de Universitaire Faculteit Sint-Ignatius (UFSIA, Prinsstraat 13). In de tussenliggende 157 jaar diende het Hof van Liere als Militaire Academie onder Maria-Theresia, militair hospitaal onder de Franse bezetting en kazerne (1830-1929).

Niet ver daarvandaan verrijst het machtig silhouet van de Sint-Jacobskerk.

Later, under the Archdukes Albert and Isabella the Jesuits installed their college in the *Engelsch Huis* but Empress Maria Theresia expelled them. They did not return until 1930 to direct the Saint Ignatius University Faculty called Ufsia at 13 Prinsstraat. In the intervening 157 years the *Hof van Liere* served as a military hospital during the French occupation and from 1830 to 1929 as a barracks.

The sturdy silhouette of Saint James' church rises nearby.

Sous le règne des archiducs Albert et Isabelle, les jésuites installèrent leur collège dans l'*Engelsch Huis*, mais l'impératrice Marie-Thérèse mit fin à leur présence. Ils n'y revinrent qu'en 1930 à la tête des Facultés universitaires Saint-Ignace (*Ufsia*, Prinsstraat 13). Entre-temps, pendant 157 années, le *Hof van Liere* servit d'Académie militaire sous Marie-Thérèse, d'hôpital militaire sous l'occupation française et de caserne de 1830 à 1929...

Non loin se dresse la puissante silhouette de l'église Saint-Jacques.

Unter der Herrschaft der Erzherzöge Albert und Isabella richteten die Jesuiten ihr Kollegium im *Engelsch Huis* ein, aus dem sie dann jedoch von Kaiserin Maria Theresia vertrieben wurden. Sie kamen erst 1930 als Leiter der Universitätsfakultäten Sankt-Ignatius (*Ufsia*, Prinsstraat 13) wieder zurück. In der Zwischenzeit, also 157 Jahre lang, diente der *Hof van Liere* unter Maria Theresia als Sitz der Militärakademie, unter der französischen Besatzung als Militärkrankenhaus und von 1830 bis 1929 als Kaserne.

Nicht weit von hier zeichnet sich die mächtige Silhouette der Jakobskirche ab.

△ ▷ *het huis* Venusstraat 19

In het huis gebouwd in 1551 door de lakenkoopman Corneel Ysenbouts werd er in de 18de eeuw een buitengewoon intieme patio aangelegd. In de 19de eeuw werd hij met een glazen dak overdekt, om in de 20ste eeuw in een wintertuin te veranderen, niet toegankelijk voor het publiek.

In the 19th century a cosy patio was added to the house built by the cloth merchant Corneel Ysenbouts in 1551. A glass roof covering it was added in the 19th century and in the 20th it became a winter garden. It is not open to the public.

En la maison construite en 1551 par le marchand de draps Corneel Ysenbouts fut créé, au XVIIIe siècle, un patio intime à souhait. Recouvert d'une verrière au XIXe siècle, il s'est transformé au XXe siècle en jardin d'hiver, qui ne se visite pas.

In dem 1551 von dem Tuchhändler Corneel Ysenbouts errichteten Haus wurde im 18. Jh. ein außergewöhnlich intimer, gemütlicher Patio angelegt. Im 19. Jh. wurde er dann mit einem Glasdach versehen und im 20. Jh. in einen Wintergarten umgewandelt, der leider nicht besichtigt werden kann.

de Sint-Jacobskerk

*D*e bouw van de Sint-Jacobskerk, door de meesters Herman de Waghemakere en zijn zoon, gebeurde in meerdere etappes. De basis van de toren, die onafgewerkt is gebleven, werd in 1491 gelegd. Het koor daarentegen werd pas voltooid in 1604. En het zou nog een halve eeuw duren vooraleer men de laatste hand aan de transkapellen legde, zoals ook deze waarin Pieter-Paul Rubens rust.

Alle zuilen, behalve die van de kruising, zijn cilindrisch. Hun kapitelen, net zoals die in het schip, zijn versierd met koolbladeren, zo eigen aan de Brabantse architectuur.

De kerk kan prat gaan op een uitzonderlijk artistiek patrimonium : de glasramen van 'Het laatste Oordeel' (1520) en 'De Boodschap van de Engel' (1620), schilderijen van Antoon Van Dijck, Jacob Jordaens, Gaspar de Craeyer, Maarten De Vos, beeldhouwwerken van Artus Quellinus de Oude.

*L*a construction de l'église Saint-Jacques, sur les plans de Herman de Waghemakere et de son fils, se fit en plusieurs étapes. Si la base de la tour – qui reste inachevée – fut maçonnée en 1491, le chœur ne fut terminé qu'en 1604. Et c'est un demi-siècle plus tard que l'on mit la dernière main aux chapelles rayonnantes, y compris celle où repose Pierre-Paul Rubens.

Toutes les colonnes, sauf celles de la croisée, sont cylindriques. Leurs chapiteaux, comme ceux de la nef, sont ornés des feuilles de choux typiques de l'architecture brabançonne.

L'église peut s'enorgueillir d'un patrimoine artistique exceptionnel : les vitraux du Jugement dernier (1520) et de l'Annonciation (1620), les peintures d'Antoine Van Dyck, Jacob Jordaens, Gaspar De Craeyer, Maarten De Vos, les sculptures d'Artus Quellin le Vieux.

The construction of Saint James' church designed by Herman de Waghemakere and his son was done in several stages. If the base of the tower which was never built was laid in 1491, the choir was only finished in 1604 and then only a half century later that the radiating chapels including the one where Peter Paul Rubens reposes, received their finishing touches.

All the columns except those of the transept are cylindrical. Their capitals, like those of the nave, are decorated with cabbage leaves in the traditional Brabant architectural manner.

The church can be proud on its exceptional artistic heritage : the stained glass windows of the Last Judgment (1520) and the Annunciation (1620), pictures by Anthony Van Dyck, Jacob Jordaens, Gaspar de Craeyer and Maarten de Vos, sculptures by Artus Quellinus the Elder.

Der Bau der Jakobskirche nach den Plänen von Herman de Waghemakere und Sohn erfolgte in mehreren Etappen. Das Fundament des Turmes – der unvollendet blieb – wurde 1491 gelegt, während der Chor erst 1604 fertiggestellt wurde. Und noch einmal ein halbes Jahrhundert später wurde letzte Hand an den Kapellenkranz angelegt, sowie an die Kapelle, in der sich die Grabstätte von Peter Paul Rubens befindet.

Bis auf die Säulen der Vierung haben alle eine zylindrische Form. Ihre Kapitelle sind wie die des Kirchenschiffes mit den für die brabantische Architektur typischen Kohlblättern verziert.

Die Kirche kann sich außergewöhnlicher Kunstschätze rühmen : die Kirchenfenster des Jüngsten Gerichts (1520) und der Verkündung Mariä (1620), die Gemälde von Antoon van Dyck, Jakob Jordaens, Gaspar de Craeyer, Maarten de Vos, die Skulpturen von Artus Quellinus d. Ä.

het Rockoxhuis

Eerst schepen, dan burgemeester van Antwerpen tot in 1640, ging Nicolaas Rockox de geschiedenis in als mecaenas en numismaat. Hij versierde zijn huis 'Den Gulden Rinck' met veel schilderijen, antieke beelden en kunstvoorwerpen. In de 19de eeuw werd het huis verbouwd, en, toen het huis in de Keizerstraat nummer 10 helemaal op instorten stond, kocht een bank het op om het in zijn oude glorie te herstellen, en stelt er haar bewonderenswaardige collectie meubelen, wand-tapijten en schilderijen tentoon.

Rechts.
In de 'Rubenszaal' vindt men een renaissanceschouw terug, afkomstig uit een verdwenen huis. Hier treft men eveneens het aangrijpende 'Maria en de aanbidding van het kind Jezus' van de grote Antwerpse meester aan.

Échevin puis bourgmestre d'Anvers jusqu'en 1640, Nicolas Rockox est passé à la postérité comme mécène et numismate. Il décora sa maison *Den Gulden Rinck* d'un grand nombre de tableaux, statues antiques et objets d'art. Transformée au XIXᵉ siècle et menaçant ruine, la maison au numéro 10 de la Keizerstraat fut achetée en 1970 par une banque qui la réta-blit dans son lustre d'antan, et y offre désormais aux regards du public ses admirables collections de mobilier, tapisseries et tableaux.

À droite.
Décorée d'une cheminée Renaissance provenant d'un bâti-ment disparu, la 'salle Rubens' expose l'émouvante "Marie en adoration devant l'Enfant Jésus" du grand maître anversois.

Deputy mayor and then burgomaster of Antwerp until 1640 Nicolas Rockox is known to posterity as a patron of the arts and numismatist. He decorated his house *"Den Gulden Rinck"* with numerous paintings, statues and objets d'art. His house lost much of its original character when it was remodelled in the 19ᵗʰ century and was in a ruinous state when a bank bought it in 1970 and restored it to its former glory. The museum at 10 Keizerstraat is now open to the public who can visit its admirable collection of furniture, tapestries and pictures.

Right.

In the "Rubens room" with its Renaissance fireplace which came from a now demolished house is the touching "Mary in Adoration Before the Christ Child" by the great Antwerp master.

Nicolaas Rockox, Magistratsbeamter und bis 1640 dann Bürgermeister von Antwerpen, ist der Nachwelt als Mäzen und Numismatiker in Erinnerung geblieben. Sein Haus *Den Gulden Rinck* schmückte er mit einer Vielzahl von Gemälden, antiken Statuen und Kunstgegenständen. Das im 19. Jh. umgebaute und vom Verfall bedrohte Haus in der Keizerstraat Nr. 10 wurde 1970 von einer Bank gekauft, die es in seinem alten Glanz wieder hergestellt hat und heute hier für die Öffentlichkeit ihre bewundernswerten Möbel-, Wandteppich- und Gemäldesammlungen ausstellt.

Rechts

Im „Rubens-Saal", der mit einem im Renaissance-Stil gehaltenen Kamin aus einem nicht mehr vorhandenen Gebäude geschmückt ist, befindet sich das beeindruckende Gemälde „Maria in Anbetung vor dem Christuskind" des großen Meisters aus Antwerpen.

*N*et zoals de andere kamers van het huis, staat ook de grote feestzaal, de 'Groot Saleth', vol barokke zeventiende-eeuwse meubels. Je ziet er ook het Brussels wandtapijt (begin 16de eeuw) 'De tuin van Eden', dat alle glans van de kleuren van de zijden en wollen draden heeft behouden. Boven een rijk gesculpteerd Antwerps meubel hangt een schilderij van Maarten De Vos, dat allegorisch de Vierschaar van de Brabantse Munt te Antwerpen weergeeft ; de leden van de Vierschaar zijn gegroepeerd om iedereen eraan te herinneren wie de opdrachtgevers van het werk zijn.

*S*eventeenth century baroque furniture is displayed in all the principal rooms of the mansion such as the great reception room or Groot Saleth shown here. The silk and wool threads of the early 16th century Brussels tapestry of "The Garden of Love" have retained their original brilliant colours. Hanging above a richly carved Antwerp cabinet is a painting by Maarten de Vos, an allegory of the court of the Brabant Minters : the members of the Order of Minters are grouped together to remind everyone who commissioned the work.

*C*omme dans toutes les salles de la maison, le mobilier baroque du XVIIe siècle est présent dans la grande salle d'apparat, la *Groot Saleth*. Tissée à Bruxelles au début du XVIe siècle, la tapisserie "Le jardin d'amour" a gardé tout l'éclat des couleurs de ses fils de soie et de laine. Surmontant un meuble anversois richement sculpté, un tableau de Maarten De Vos représente allégoriquement le Tribunal de la Monnaie brabançonne ; les membres du Serment des Monnayeurs se sont groupés pour rappeler à tous qu'ils étaient les commanditaires de l'œuvre.

*W*ie alle Säle des Hauses ist auch der große Prunksaal, der *Groot Saleth*, mit barockem Mobiliar aus dem 17. Jh. ausgestattet. Der zu Beginn des 16. Jhs. in Brüssel gewebte Wandteppich „Der Garten der Liebe" hat die volle Leuchtkraft seiner Seiden- und Wollfäden bewahrt. Über einem Antwerpener Möbelstück mit reichen Schnitzereien hängt ein Gemälde von Maarten de Vos, das das brabantische Münzgericht allegorisch darstellt: Die Mitglieder des Eids der Münzer haben sich versammelt, um alle daran zu erinnern, dass sie das Werk bezahlt haben.

het huis Delbeke

Bladzijden 87 tot 89.

_I_n 1897 verwierf baron Delbeke het huis Sint-Peter in de Keizerstraat nummer 9. De barokke gevel, op het einde van de binnenkoer, gelijkt op die van een Italiaanse palazzo. Op de eerste verdieping, onder de robuuste balken van de zoldering, zijn in de 'Vlaamse Zaal' de muren gedeeltelijk bedekt met kostbaar verguld leer. Het huis Delbeke is een private woonst.

Pages 87 à 89.

_E_n 1897, le baron Delbeke acquit la maison _Sint-Peter_ (Keizerstraat 9). La façade de la maison baroque au fond de la cour intérieure s'apparente à celle d'un palazzo italien. À l'étage, sous les robustes poutres du plafond, la "salle flamande" a ses murs en partie couverts de précieux cuir doré. La maison Delbeke est actuellement une résidence privée.

Pages 87 to 89.

_I_n 1897 Baron Delbeke acquired the "Sint Peter" house at 9 Keizerstraat. The façade of the building at the end of the inner courtyard dates from 1649. Its baroque façade resembles that of an Italian palazzo. Beneath the sturdy beams of the "Flemish room" on the second floor, the walls are partially covered with precious gilded leather. The Delbeke mansion is still privately owned.

Seiten 87 bis 89.

_I_m Jahr 1897 erwarb Baron Delbeke das Haus Sint-Peter (Keizerstraat 9). Die barocke Fassade an der hinteren Seite des Innenhofes zeigt Ähnlichkeit mit der eines italienischen Palazzo; im ersten Geschoss sind unter den stabilen Deckenbalken die Wände des „flämischen Saales" zum Teil mit wertvollem Leder verkleidet. Das Gebäude wird derzeit als Wohnhaus genutzt.

*I*n de keuken van het huis Delbeke zijn de muren en de schoorsteenmantel hele-maal met Delftse tegels bedekt.

*D*ans les cuisines de la maison Delbeke, les murs et le manteau de cheminée sont entièrement décorés de carreaux de Delft.

*I*n the Delbeke house the kitchen walls and chimney mantel are covered comple-tely in Delft tiles.

*I*m Haus Delbeke sind die Küchenwände sowie der Kaminmantel vollständig mit Delfter Kacheln bestückt.

de 'Spaanse poortjes'

De overvloed van barokke poorten karakteriseert het beeld van het historisch centrum van Antwerpen. Ze werden vaak aan een oud gebouw toegevoegd. Elk van deze poorten, die door de Antwerpenaren 'Spaanse poortjes' worden genoemd, verschilt van de andere, maar één voor één interpreteren ze in alle vrijheid, soms met veel fantasie, de decoratieve elementen van de Spaanse architectuur : zuilen, consoles, voluten, leeuwenkoppen en frontons.

L'abondance de portails baroques caractérise le visage du centre historique d'Anvers. Ils étaient souvent surajoutés à un bâtiment ancien. Chacun de ces portails – que les Anversois appellent *Spaanse poortjes* – diffère des autres mais tous interprêtent avec liberté sinon fantaisie les éléments décoratifs de l'architecture italienne : colonnes, consoles, volutes, têtes de lion et fronton.

Many baroque portals may be seen in the historic centre of Antwerp, often applied to an older building. Each of these portals, called Spanish doors by Antwerpers, differs from the others but they all freely and imaginatively employ decorative motifs drawn from Italian architecture : columns, consoles, volutes, lion's heads and pediments.

Das historische Zentrum Antwerpens ist durch eine Fülle von Barockportalen gekennzeichnet. Oftmals sind diese nachträglich an ein altes Gebäude angebracht worden. Ein jedes dieser Portale, die die Antwerpener *Spaanse poortjes* nennen, unterscheidet sich von den anderen, doch bei allen wurden in freier und fantasievoller Art und Weise die dekorativen Elemente der italienischen Architektur aufgenommen: Säulen, Konsolen, Voluten, Löwenköpfe und Giebeldreiecke.

de Sint-Nicolaasplaats

*D*oor het bankroet van Falco de Lampagne, die een godshuis had gebouwd, waren de religieuzen in 1386 plotseling verplicht om zich in hun refugium aan het begin van de Lange Nieuwstraat te vestigen. Hun kapel, gewijd aan Sint-Nicolaas, was nog niet helemaal af, toen in 1420 het ambacht der meerseniers de Falcontinnen opvolgde en er een hospitaal voor zieke leden stichtte. De huizen die grenzen aan de kleine Sint-Nicolaasplaats stammen uit de eerste helft van de 17de eeuw.

*L*a banqueroute de Falco de Lampagne, qui avait institué une maison-Dieu, obligea ses religieuses desservantes à s'établir en 1386 en leur refuge qu'elles détenaient au début de la Lange Nieuwstraat. Leur chapelle dédiée à saint Nicolas y était en partie reconstruite quand, en 1420, la guilde des merciers succéda aux "Falcontines" et y fonda un hospice pour ses membres malades. Les maisons qui bordent la petite place Saint-Nicolas sont de la première moitié du XVIIᵉ siècle.

*I*n 1386 when Falco de Lampagne who had founded a hospital went bankrupt the nuns who worked there were obliged to move into their retreat house at the beginning of Lange Nieuwstraat. Their chapel dedicated to Saint Nicholas was partially rebuilt when the Drapers Guild took the property over from the "Falcontines" and founded a hospice for their infirm members. The houses bordering the little Sint-Nicolaasplaats date from the first half of the 17th century.

*D*ie Zahlungsunfähigkeit von Falco de Lampagne, dem Gründer eines Krankenhauses zwang die dort tätigen Nonnen, sich 1386 in ihrer Unterkunft am Anfang der Lange Nieuwstraat niederzulassen. Ihre dem heiligen Nikolaus geweihte Kapelle war gerade zum Teil wieder aufgebaut worden, als 1420 die Gilde der Kurzwarenhändler die „Falcontiner" ablöste und dort für kranke Mitglieder ein Hospiz gründete. Die Häuser um den kleinen Sint-Nicolaasplaats stammen aus der ersten Hälfte des 17. Jhs.

de Bourgondische Kapel

Deze voormalige huiskapel werd tussen 1477 en 1496 gebouwd door de schout van Antwerpen Jan Van Immerseel, tevens raadsman van de Bourgondische hertog Maximiliaan. De fraaie erker, gevat tussen elegante pinakels, wordt geopend door drie spitsboogvensters, gracieus met maaswerk versierd. Het uitzonderlijk gewelf met hangende, gebeeldhouwde druipers, lijkt gedisproportioneerd, alsof hij normaal gezien een driedubbel schip moest bedekken.

De fresco's op de muren vormen een heraldische iconorafie van het Bourgondisch Huis : wapenschilden, snoeren van het Gulden Vlies, vogels, banderollen en liefdesknopen met initialen. De Antwerps-Bourgondische glasramen zijn gedeeltelijk origineel.

De kapel is momenteel ingekapseld in een privé huis, Lange Nieuwstraat nummer 31, en niet toegankelijk voor het publiek.

L'ancien oratoire domestique de Jean van Immerseel, écoutète (procureur, en termes d'aujourd'hui) d'Anvers et conseiller à la cour de l'archiduc Maximilien, fut construit de 1477 à 1496. L'élégant chevet est percé de trois fenêtres ogivales entre des pinacles élancés, gracieusement subdivisées par des lacis.

L'extraordinaire voûte à clés pendantes et sculptées semble disproportionnée, comme si elle devait normalement couvrir une triple nef. Les fresques des murs constituent une iconographie héraldique de la Maison de Bourgogne : armoiries, colliers de la Toison d'Or, oiseaux, banderoles et initiales enlacées. Les vitraux anversois-bourguignons sont en partie originels.

La chapelle se trouve actuellement englobée dans une demeure privée, Lange Nieuwstraat 31, fermée au public.

The chapel, once the private oratory of Jan van Immerseel, écoutète of Antwerp (the head of the governing board and judiciary of the city appointed by the ruler) and counsellor at the court of Archduke Maximillian, was built between 1477 and 1496. The elegant apse with tall pinnacles is illuminated by three Gothic windows subdivided by interlacing.

The extraordinary vault with carved pendant bosses seems disproportionate, as if it should really cover a triple nave. The frescoes display a heraldic iconography of the House of Burgundy : coats of arms, chains of the Order of the Golden Fleece, birds, streamers and interlaced initials. Some of the Antwerp-Burgundian stained glass windows date from the time of construction.

The chapel is part of a private residence at 31 Lange Nieuwstraat and is not open to the public.

Die ehemalige Hauskapelle von Jean van Immerseel, Ecoutète von Antwerpen und Berater bei Hofe des Erzherzogs Maximilian, wurde zwischen 1477 und 1496 erbaut. Die elegante Apsis wird von drei spitzbogigen Fenstern zwischen vier schlanken Fialen durchbrochen, die in anmutiger Weise von einem Lacis unterteilt werden.

Das außergewöhnliche Gewölbe mit hängenden Schlusssteinen und Schnitzereien scheint übergroß, als ob es eigentlich ein dreifaches Kirchenschiff, dessen Stützpfeiler abhanden gekommen sind, bedecken sollte. Die Fresken an den Wänden stellen eine heraldische Ikonographie des Hauses Burgund dar : Wappen, Ketten des Ordens vom Goldenen Vlies, Vögel, Wimpel und ineinander geschlungene Initialen. Die Kirchenfenster sind zum Teil noch original.

Die Kapelle gehört nun zu einem privaten Anwesen in der Lange Nieuwstraat 31, das der Öffentlichkeit nicht zugänglich ist.

△ het Koninklijk Paleis

De rijke handelaar Alexander van Susteren stamt van een katholieke familie uit de Verenigde Provinciën die zich om religieuze redenen te Antwerpen kwam vestigen. Hij vroeg de architect Jan Pieter van Baurscheit de Jonge om een weelderig huis voor hem te tekenen, dat het midden hield tussen barok, rococo en classicisme. In 1812 werd het paleis door de Franse autoriteiten gekocht om in principe te dienen als residentie voor Napoleon. Later kwam het in handen van koning Willem I van Holland die er verschillende malen verbleef. Maar toch minder vaak dan koning Leopold I die er zeer graag vreemde vorsten ontving, en dan koning Leopold II die het op zijn kosten liet verfraaien. Sinds 1969 herbergt het voormalig Koninklijk Paleis, in ietwat verwaarloosde staat, het Internationaal Cultureel Centrum (Meir 50).

Alexander van Susteren, a wealthy merchant from a Catholic family in the United Provinces, moved to Antwerp for religious reasons. He commissioned the plans for a sumptuous palace in a mixture of baroque, rococo and classical styles from Jan Pieter van Baurscheit the Younger. It was bought by the French authorities and was meant to be Napoleon's residence. It later passed to King William I of Holland who stayed there several times though less often than Leopold I who gladly received there foreign monarchs visiting Belgium or than Leopold II who improved it as his own expense. Since 1969 the slightly neglected "Royal Palace" has served as the International Culture Centre of Antwerp (50 Meir).

Originaire d'une famille catholique des Provinces-Unies qui se fixa à Anvers pour des motifs religieux, le riche marchand Alexandre van Susteren commanda à l'architecte Jean-Pierre van Baurscheit le Jeune les plans d'une demeure fastueuse, compromis des tendances baroques, rococo et classiques. Le palais fut acheté en 1812 par les autorités françaises pour servir en principe de résidence à Napoléon. Il passa ensuite au roi Guillaume Ier de Hollande qui y séjourna à différentes reprises. Moins souvent toutefois que Léopold Ier, qui y recevait volontiers des souverains étrangers en visite en Belgique, et que Léopold II qui l'embellit à ses frais. Depuis 1969, le "Palais royal", quelque peu délaissé, est le Centre culturel international d'Anvers (Meir 50).

Der reiche Händler Alexander van Susteren, der aus einer katholischen Familie der Vereinigten Provinzen stammt, die sich aus religiösen Gründen in Antwerpen niedergelassen hatte, beauftragte Jan Pieter van Baurscheit d. J. mit Plänen für ein prunkvolles Anwesen, das Barock-, Rokoko- und Klassizismus-Elemente miteinander vereint. Das Palais wurde 1812 von den französischen Behörden als Residenz für Napoleon gekauft. Später fiel es an Wilhelm I. von Holland, der sich mehrmals dort aufhielt. Nicht so häufig allerdings wie Leopold I., der in dem Palais gerne ausländische Staatsoberhäupter während ihres Besuchs in Belgien empfing, und wie Leopold II., der das Gebäude auf seine Kosten verschönern ließ. Seit 1969 ist das etwas heruntergekommene „Königliche Palais" Sitz des internationalen Kulturzentrums von Antwerpen (Meir 50).

de Leysstraat

De tamelijk smalle straat waarin de schilder Henri Leys woonde (1815-1869), aan wie zij haar naam te danken heeft, werd eind 19de eeuw in de richting van de Meir verbreed en afgezet met een opmerkelijk homogeen geheel van perfect bewaarde huizen in eclectische stijl. Deze woon- en winkelhuizen zijn verrassend verschillend gedecoreerd, maar geven eveneens een grote homogene totaalindruk door het gemeenschappelijk gebruik van steen en door hun quasi gelijke hoogte.

The narrow street named after the artist Henri Leys (1815-1869) who lived there was widened at the end of the 19th century leading to the Meir. It is bordered by a remarkably homogenous and perfectly preserved group of houses in the eclectic style. Meant to be dwellings as well as business premises they have quite different decoration on the façades but are all in stone and more or less the same height.

La rue étroite où habitait le peintre Henri Leys (1815-1869), à qui elle fut dédiée, fut élargie à la fin du XIXe siècle en direction du Meir et bordée d'un ensemble remarquablement homogène, parfaitement préservé, de maisons de style éclectique. Destinées tant à l'habitation qu'au commerce, elles présentent des façades très différentes par la conception de la décoration, mais toutes en pierre et quasi de même hauteur.

Die recht enge Straße, die den Namen des einst dort wohnenden Malers Henri Leys (1815-1869) trägt, wurde Ende des 19. Jhs. zum Meir hin verbreitert und von einem bemerkenswert homogenen und perfekt erhaltenen Häuserensemble im eklektischen Stil gesäumt. Die Wohn- und Geschäftshäuser weisen aufgrund der Verzierungen sehr unterschiedliche Fassaden auf, alle bestehen jedoch aus Stein und sind fast gleich hoch.

het huis Osterrieth

*O*ndanks de havendecadentie en de voortdurende achteruitgang van de bevolking, bleef Antwerpen in de 18de eeuw een belangrijk financieel centrum. En ondanks alle ellende van die tijd, werden er toch vele herenhuizen opgericht. Het markantste huis wordt toegeschreven aan Jan Pieter van Baurscheit de Jonge. Om het huis Osterrieth op de Meir te realiseren, vermeed hij de pronkerige luxe die hem opgelegd was voor het Koninklijk Paleis. Maar het huis zelf was niet minder rijk. Dat kan men goed merken aan de centrale travee gemarkeerd door een fronton in de meest pure rococostijl.

De bank die het gebouw verwierf, rustte het uit met een verzameling kunstwerken – slechts toegankelijk voor enkele gepriviligeerde gasten – waarvan het niveau zonder twijfel hoger reikt dan de oorspronkelijke werken.

*M*algré la décadence portuaire et la régression constante de la population, Anvers demeurait au XVIIIe siècle un centre financier important. Aussi bien, en dépit de la misère des temps, de nombreux hôtels de maître furent élevés ; les plus remarquables sont dûs à Jean-Pierre van Baurscheit le Jeune. Pour réaliser le palais Osterrieth sur le Meir, celui-ci évita le luxe ostentatoire qui lui avait été imposé pour le "Palais Royal". Avec sa travée centrale couronnée d'un fronton du plus pur style rocaille, la demeure n'en est pas moins riche.

La banque qui acquit l'immeuble le dota d'un ensemble d'œuvres d'art – hélas invisible hormis pour les quelques privilégiés qui y sont conviés – d'un niveau sans aucun doute supérieur à celles qui ornaient la maison à l'origine.

*I*n spite of the 18th century depression resulting from the decline of the port and constant depopulation Antwerp was still an important financial centre and a number of mansions continued to be built. The most noteworthy are those by Jan Pieter van Baurscheit the Younger. When designing the Osterrieth mansion at 85 Meir the architect avoided the ostentatious luxury imposed on him when he designed the "Royal Palace". Nevertheless the mansion with its central bay crowned by a pure rococo pediment is still very opulent.

The bank that acquired the mansion has mounted an art collection that is probably superior to that of the original owners but which is, alas, open to only a selected few by invitation.

*T*rotz des Verfalls der Hafenanlagen und des konstanten Bevölkerungsrückgangs blieb Antwerpen im 18. Jh. ein wichtiges Finanzzentrum. Auch wurden trotz der schlechten Zeiten zahlreiche Herrenhäuser gebaut. Den bemerkenswertesten unter ihnen lagen Plänen des Architekten Jan Pieter van Baurscheit d. J. zu Grunde. Beim Bau des Palais Osterrieth auf dem Meir vermied dieser den zur Schau gestellten Luxus, der ihm für das Königliche Palais vorgeschrieben worden war. Mit seinem zentralen Gewölbefeld, das mit einem Giebeldreieck im reinsten Rokokostil bedeckt ist steht das Anwesen dennoch in seiner Pracht in nichts nach.

Die Bank, die das Gebäude erwarb, brachte in ihm eine Reihe von Kunstwerken unter, die zweifellos einen größeren Wert besitzen als diejenigen, die ursprünglich dort vorhanden waren, aber leider nur von wenigen ausgewählten Gästen des Hauses bewundert werden können.

de Beurs

De Beurs was in de Gouden Eeuw het financieel en economisch hart van de Metropool. Hij werd eveneens volgens de plannen van Domien de Waghemakere gebouwd. Elke natie – nu zou men spreken van een buitenlandse commerciële deligatie – had er haar plaats en in de galerijen, afgebakend door slanke colonnetten die gebeeldhouwde stergewelven dragen, kwamen tweemaal daags zo'n 5000 kooplieden uit heel Europa samen.

Hoewel brand meerdere malen de Beurs (Twaalf Maandenstraat) verwoestte, werd hij toch iedere keer in zijn oorspronkelijke gotische stijl herbouwd. In 1853 gaf men haar echter een glazen, ijzeren dakbedekking, naar het voorbeeld van het Chrystal Palace in Londen.

Cœur financier et commercial de la Métropole et son Âge d'Or, l'ancienne Bourse fut elle aussi édifiée sur les plans de Domien de Waghemakere. Chaque *nation* – nous dirions aujourd'hui "délégation commerciale étrangère" – y disposait d'un emplacement et, dans ses galeries jalonnées de fines colonnettes soutenant des arcs aux écoinçons sculptés, les deux séances quotidiennes attiraient jusqu'à cinq mille marchands de toute l'Europe.

Ravagée par le feu à plusieurs reprises, la Bourse (Twaalf Maandenstraat) fut à chaque fois rétablie dans son style gothique originel. Toutefois, en 1853, on la dota d'une couverture de verre et de fer suivant l'exemple du Crystal Palace de Londres.

The former Stock Exchange, the financial and commercial heart of the Golden Age of the Metropolis was also designed by Domien de Waghemakere. Each *nation* – what we would call today a "foreign commercial delegation" – had a seat. Up to five thousand merchants from all over Europe attended the two daily sessions in the galleries divided by narrow colonnettes supporting arches with sculpted spandrels.

Damaged several times by fire the former Stock Exchange at Twaalf Maandenstraat was restored each time in its original Gothic style. In 1853 a glass and cast iron roof similar to that of the Crystal Palace in London was installed.

Die alte Börse, im goldenen Zeitalter das Finanz- und Handelszentrum der Stadt, wurde ebenfalls nach Plänen von Domien de Waghemakere erbaut. Jede *Nation* – heute würden wir „ausländische Handelsdelegation" sagen – verfügte dort über einen Platz. In den Galerien, die durch kleine, schlanke Säulen, auf denen Bögen mit geschnitzten Ecksteinen ruhen, abgesteckt werden, fanden sich zu den zwei täglichen Sitzungen bis zu fünftausend Kaufleute aus ganz Europa ein.

Die mehrmals vom Feuer verwüstete Börse (Twaalf Maandenstraat) wurde jedes Mal in ihrem ursprünglichen gotischen Stil wieder aufgebaut. Im Jahre 1853 erhielt sie allerdings nach dem Vorbild des Crystal Palace in London eine Dachkonstruktion aus Glas und Eisen.

het Rubenshuis

*V*an een huis dat hij in 1610 verwierf, maakte de schilder Pieter-Paul Rubens een weelderig patriciërshuis. Hij liet zich inspireren door de Italiaanse renaissance en voegde er een atelier, een exposieruimte en een portiek met drie bogen aan toe. Toen men in 1938 de geslaagde restauratie aanving, bleef slechts laatstgenoemde portiek en een klein paviljoen in de tuin over. Op bepaalde gebieden doet het portiek ongetwijfeld denken aan het paleis van Te, plezieroord van de graven van Mantua, dat Rubens ten tijde van zijn verblijf aan het hof van Gonzages vaak opzocht.

Boven.

In de kleine salon ziet men naast een elegant Antwerps kabinet eveneens een weelderige barokke schouw. De trumeau 'De prediking van de heilige Johannes de Doper' van Adam van Noort (1562-1641) herinnert aan de leerjaren van Rubens bij deze Antwerpse schilder. Een andere herinnering aan die tijd is het portret van Nicolas Rockox door Otto Venius (1556-1629).

*W*hen the renowned artist Peter Paul Rubens bought the house in 1610 he transformed it into a luxurious patrician mansion by adding a studio, an exhibition room and a triple-arched portico inspired by the Italian Renaissance. Only the portico and a small summerhouse still remained when the highly successful restoration began in 1938. The portico obviously copies certain elements of the Palazzo del Te, the summer residence of the Dukes of Mantua that Rubens visited during his stay at the Gonzaga court.

Above.

The small sitting room with an elegant Antwerp cabinet is dominated by an opulent baroque fireplace. On the wall above is a painting of "John the Baptist Preaching" by Adam van Noort (1562-1641), a reminder of the years Rubens spent as an apprentice with this Antwerp artist. Another souvenir of his apprenticeship is a portrait of Nicolas Rockox by Otto Venius (1556-1629).

D'une maison qu'il avait acquise en 1610, le peintre Pierre-Paul Rubens fit une fastueuse demeure patricienne à laquelle il ajouta un atelier, une salle d'exposition et un portique à trois arcs inspiré de la Renaissance italienne. Il ne subsistait que ce dernier et le petit pavillon du jardin lorsqu'en 1938 on entreprit sa restauration, parfaitement réussie. Le portique rappelle incontestablement certains éléments du palais de Te, lieu de plaisir des ducs de Mantoue que Rubens avait fréquenté lors de son séjour à la cour de Gonzague.

Ci-dessus.

Meublé d'un élégant cabinet anversois, le petit salon est dominé par une opulente cheminée baroque. Au trumeau de celle-ci, "La Prédication de saint Jean Baptiste" d'Adam van Noort (1562-1641) rappelle les années de formation de Rubens chez ce peintre anversois. Autre souvenir d'apprentissage, le portrait de Nicolas Rockox par Otto Venius (1556-1629).

*D*er Maler Peter Paul Rubens ließ das 1810 erworbene Haus zu einem prunkvollen Herrensitz umbauen, an das er ein Atelier, einen Ausstellungsraum und einen vom italienischen Renaissance-Stil geprägten Portikus mit drei Torbögen anfügte. Als 1938 die ganz und gar gelungene Restaurierung in Angriff genommen wurde, bestanden nur noch der Portikus und der kleine Gartenpavillon. Der Portikus erinnert unweigerlich an einige Elemente des Palazzo del Te, des Lustschlosses der Herzöge von Mantua, den Rubens bei seinem Aufenthalt am Hofe der Gonzaga häufig besucht hatte.

Oben

Der kleine, mit einem eleganten Antwerpener Kabinett möblierte Saal wird von einem großen barocken Kamin dominiert. Über diesem erinnert „Die Predigt von Johannes dem Täufer" von Adam van Noort (1562-1641) an Rubens' Lehrjahre bei diesem Antwerpener Maler. Eine andere Erinnerung an die Lehrzeit stellt das von Otto Venius (1556-1629) gemalte Porträt von Nicolaas Rockox dar.

Boven.

*H*et museum van het Rubenshuis (Wapper 9) geeft een over-tuigend beeld weer van zowel het familieleven van de schilder als de contacten met zijn vrienden. Onder hen vindt men Frans Duquesnoy (1595-1643), die door Rubens als de meest expres-sieve barokke beeldhouwer beschouwd werd. Zijn 'Dronken Silenus' is een prachtig bas-reliëf in verguld brons op een ach-tergrond van lazuursteen. Het staat prachtig in de eetkamer. Daar ziet men trouwens ook een landschap van Daniel Seghers (1590-1661), een stilleven van Snyders (1579-1657) en een zelfportret van de meester van het huis.

Rechterbladzijde.

Sinds zijn verblijf in Italië was Rubens bezeten van de kunst van de Klassieke Oudheid. Zij kwam overeen met de humanis-tische traditie en betekende voor hem een waardevolle icono-grafische bron. In het halfrond museum, zijn nochtans niet die stukken van zijn collectie tentoongesteld – ze werden immers verspreid na de dood van de meester –, maar wel enkele stuk-ken van uitzonderlijke kwaliteit, zoals het borstbeeld van Julius Cæsar en een ander van Seneca.

Ci-dessus.

Le musée de la maison de Rubens (Wapper 9) donne une image convaincante de la vie familiale du peintre comme de ses rapports avec ses amis. Parmi ceux-ci, François Duquesnoy (1595-1643) qu'il considérait comme le plus expressif des sculpteurs baroques. Son "Silène dormant à l'âne rétif", mer-veilleux bas-relief en bronze doré sur fond de lapis-lazuli, a sa place tout indiquée dans la salle à manger, où sont également exposés un paysage de Daniel Seghers (1590-1661), une natu-re morte de Snyders (1579-1657) et l'autoportrait fort ave-nant du maître des lieux.

Page de droite.

Depuis son séjour en Italie, Rubens était féru des œuvres de l'Antiquité. Elles correspondaient à la tradition humaniste et constituaient pour lui de précieuses sources iconographiques. Dans un hémicycle sont exposées non pas les pièces de sa col-lection – elles furent dispersées à la mort du maître – mais quelques pièces d'une qualité exceptionnelle comme un buste de Jules César ou un autre de Sénèque.

Above.

*T*he Rubens museum in his home at 9 Wapper is a convinc-ting presentation of the domestic life of the artist and of his relations with his friends and associates. Among them was Frans Duquesnoy (1595-1643) whom he considered the most accomplished of the baroque sculptors. His "Sleeping Silenus With a Restive Donkey", a wonderful gilded bronze low relief set on a lapis lazuli background has a special place in the din-ing room which also contains a landscape by Daniel Seghers (1590-1661), a still life by Snyders (1579-1657) and a hand-some self portrait by the master.

Right.

Rubens developed a passionate interest in the works of Classical antiquity during his stay in Italy. They exemplified the humanisitic school of thought and were a precious icono-graphic source for the artist. The exceptional pieces such as the bust of Julius Cæsar and that of Seneca displayed in the hemi-cycle were not part of his personal collection which was sold when he died.

Oben

*D*as Museum des Rubenshauses (Wapper 9) vermittelt ein überzeugendes Bild vom Familienleben des Malers sowie von den Beziehungen zu seinen Freunden. Zu diesen gehörte auch François Duquesnoy (1595-1643), den er für den ausdrucks-stärksten Barock-Bildhauer hielt. Sein wunderbares Flachrelief „Schlafender Satyrn als störrischer Esel" aus vergoldeter Bronze auf einer Lapislazuli-Grundlage befindet sich im Esszimmer, in dem auch ein Landschaftsgemälde von Daniel Seghers (1590-1661), ein Stillleben von Snyders (1579-1657) und das Selbstbildnis des Hausherrn hängen.

Rechte Seite

Seit seinem Aufenthalt in Italien war Rubens von den Werken der Antike begeistert. Sie entsprachen der humanistischen Tradition und stellten für ihn wertvolle ikonographische Quellen dar. In einem halbrunden Raum werden nicht die Werke aus seiner Sammlung ausgestellt – diese wurden nach dem Tod des Meisters aufgeteilt –, sondern einige qualitativ sehr hochwertige Stücke wie eine Büste von Julius Cäsar oder eine andere von Seneca.

de Bourlaschouwburg

De Koninklijke Nederlandse Schouwburg werd in 1834 ingehuldigd. Hij is gebouwd naar de plannen van Frans Bourla, naar wie de schouwburg over het algemeen genoemd wordt. Het is een imposant gebouw, in een stijl die de Klassieke Oudheid met evenveel soepelheid als verhevenheid interpreteert. Zuilen in Romeinse stijl, borstbeelden in de nissen en beelden geïnspireerd op de Renaissance verlenen een monumentaal aspect aan de halfronde voorgevel, die op de Comedieplaats uitkomt. De foyer *(rechts)*, eveneens geïnspireerd op de Romeinse Oudheid, wordt verlicht door hoge ramen, gescheiden door Ionische zuilen.

Volgende dubbele bladzijde.
De zaal heeft de vorm van een amfitheater met een diepe scène. De balkons zijn versierd met stucwerk in de vorm van schelpen, ranken, banderollen en palmetten.

The Royal Dutch Theatre was opened in 1834. The work of the French architect Pierre Bourla whose name is usually given to it, the theatre is an imposing building which interprets Classical antiquity with grace and majesty. The Roman order of the columns, busts in niches and statuary inspired by the Italian Renaissance give monumentality to the semicircular façade on the Comedieplaats. The foyer *(right)*, also drawing on classical Rome, is illuminated by tall windows separated by Ionic columns.

Next double page.
The amphitheater has a very deep stage and balconies decorated with stucco rocaille, tendrils, streamers and palmettes.

Le Koninklijke Nederlandse Schouwburg a été inauguré en 1834. Œuvre du Français Bourla dont le nom lui est généralement associé, le théâtre constitue un imposant édifice d'un style interprétant l'Antiquité classique avec autant de souplesse que de majesté. Ordres romains des colonnes, bustes dans les niches et statues inspirées de la Renaissance italienne confèrent un aspect monumental à la façade en hémicycle s'ouvrant sur la Comedieplaats. Le foyer *(à droite)*, également inspiré de la Rome antique, est éclairé par de hautes fenêtres séparées par des colonnes ioniques.

Double page suivante.
La salle en amphithéâtre, à la scène très profonde, comporte des balcons ornés de stucs en forme de rocaille, vrilles, banderolles et palmettes.

Die Koninklijke Nederlandse Schouwburg wurde 1834 eingeweiht. Das Theater, ein Werk des Franzosen Bourla, mit dessen Namen es im Allgemeinen bezeichnet wird, ist ein imposantes Gebäude in einem Stil, der die klassische Antike in flexibler und würdiger Weise interpretiert. Die romanische Säulenordnung, die Büsten in den Mauernischen und die vom italienischen Renaissance-Stil geprägten Statuen verleihen der sich zum Comedieplaats hin öffnenden halbkreisförmigen Fassade einen monumentalen Charakter. Das Foyer *(rechte Seite)*, das sich ebenfalls an das antike Rom anlehnt, wird von hohen, durch ionische Säulen getrennten Fenstern erleuchtet.

Nächste Doppelseite
In dem wie ein Amphitheater gebauten Saal mit einer sehr tiefen Bühne sind die Balkone mit Stuck in Form von Rocaillen, Ranken, Banderolen und Palmetten verziert.

TOT EERLICK ONDERHOVDT VAN DIE KENS GELEDEN
DIE NAMAELS DVER ARMOEDE MOCHTEN SNEVEN
HEEFT EEN GODFVRCHTICH MAN WT LIEFDE ALLEENE
DIT GODSHVVS WEL BEGAEFT ONBEKENT ENDE LEVEN
DESE GOEDE MAN IS WT DIT LEVEN GESCHEYDEN DEN XIII NOVEMBER
M.D.LXII HY HEEFT GELEEFT LXII IAEREN ENDE WY GENAEMT
IAN VAN DER MEER COOPMAN ALHIER

EG.NM.ET.TVVERA   IN DIE MALADE

◁ het Maagdenhuis

*H*et Maagdenhuis is een weeshuis dat in 1552 in de Lange Gasthuisstraat nummer 33 voor de arme weeskinderen of vondelingen werd gesticht. Eind 19de eeuw kwam er een restauratie. Boven de deur ziet men, onder de voorstelling van de Heilige Drievuldigheid, een bas-reliëf toegeschreven aan Cornelis Floris, dat aan de ene kant een groep meisjes die door een meesteres onderwezen worden, en aan de andere kant een groep weeskinderen die aan de deur van het gesticht worden onthaald, toont. Vandaag is het gebouw zetel van de O.C.M.W.

*O*rphelinat fondé en 1552 pour les orphelines pauvres ou les enfants trouvées, la *Maagdenhuis* (la "maison des vierges"), au numéro 33 de la Lange Gasthuisstraat, a été restaurée à la fin du XIXᵉ siècle. Au-dessus du portail, le bas-relief est attribué à Corneille Floris ; placé sous le signe de la Trinité, il montre d'une part un groupe de fillettes interrogées par leur maîtresse et, d'autre part, des orphelines accueillies dans l'institution. Le bâtiment est désormais le Centre public d'Aide sociale.

*T*he *Maagdenhuis*, originally a home for poor orphan girls or foundlings popularly called the "house of virgins" was established in 1552 and restored at the end of the 19ᵗʰ century. The low relief above the entrance at 33 Lange Gasthuisstraat is attributed to Cornelis Floris. Placed under the sign of the Trinity it depicts a group of little girls being questioned by their mistress on one side and, on the other, being welcomed to the institution.

*G*egründet im Jahre 1552 als Waisenhaus für arme Waisen- und Findelkinder wurde das *Maagdenhuis* („Haus der Jungfrauen") in der Lange Gasthuisstraat Nummer 33 Ende des 19. Jhs. restauriert. Das Flachrelief über dem Portal stammt vermutlich von Cornelis Floris ; es zeigt unter dem Zeichen der Dreieinigkeit auf der einen Seite eine Gruppe junger Mädchen, die von ihren Erzieherinnen unterrichtet werden und auf der anderen Seite Waisenkinder, die in das Haus aufgenommen werden. Heute befindet sich in diesem Gebäude das öffentliche Sozialhilfezentrum.

△ het Sint-Elisabethgasthuis

*D*e slotzusters hier leidden niet steeds een even voorbeeldig leven. In 1292 werden ze door de religieuze autoriteiten verweten "zich te kleden als grote dames en, overladen met juwelen, de mis bij te wonen met hun hondjes op hun schoot". Ze herpakten zich echter vlug. In 1442 begon de bouw van de kapel van het gasthuis (Lange Gasthuisstraat 45), die eindigde in 1460. De aanwezigheid van het barokke altaar, toegeschreven aan Artus Quellinus de Jonge (1625-1700), stoort allerminst de Brabantse gotiek waarin de kapel opgetrokken is.

*L*es moniales de l'endroit ne menèrent pas toujours une vie exemplaire : en 1292, les autorités religieuses leurs reprochèrent de s'habiller comme de grandes dames et, couvertes de bijoux, d'assister aux offices avec leurs petits chiens sur les genoux. Elles ne tardèrent pas à s'amender... En 1442 commença la construction de la chapelle de l'hospice (Lange Gasthuisstraat 45), qui s'acheva en 1460. Son style gothique brabançon s'accommode de la présence d'un maître-autel baroque attribué à Artus Quellin le Jeune.

*T*he contemplative nuns of the establishment did not always lead exemplary lives. In 1292 their religious superiors reproved them for dressing like fine ladies and attending mass covered with jewellery, carrying their little lapdogs. They soon mended their ways. Construction of the chapel of the hospice at 45 Lange Gasthuisstraat began in 1442 and ended in 1460. A baroque high altar attributed to Artus Quellinus the Younger is a little incongruous in the Brabant Gothic building.

*D*ie Ordensschwestern führten nicht immer ein gerade vorbildhaftes Leben: Im Jahre 1292 hielten ihnen die Kirchenbehörden vor, sich wie vornehme Damen zu kleiden und rügten sie dafür, dass sie den Gottesdiensten mit Schmuck behangen und mit ihren kleinen Hündchen auf dem Schoß beiwohnten. Sie sollten sich bald bessern... 1442 begann man mit dem Bau der Hospizkapelle (Lange Gasthuisstraat 45), die 1460 fertiggestellt wurde. Ihr gotisch-brabantischer Stil harmoniert mit dem barocken Hochaltar, der Artus Quellin d. J. (1625-1700) zugeschrieben wird.

het museum Mayer van den Bergh

Fritz Mayer van den Bergh was noch estheet noch dilettant, hij was vooral een gepassioneerd verzamelaar. Zo'n twintig jaar lang verzamelde hij werken uit de 15de tot de 17de eeuw. Hij wilde alleen het allermooiste aankopen, hoeveel het hem ook mocht kosten.

De 'Dulle Griet' van Pieter Bruegel de Oude, door Fritz Mayer van den Bergh aangekocht, is één van de meesterwerken van het museum. Bruegel scheen het verlangen te hebben elke ruimte in de compositie te vullen met irrationele en fantastische elementen. 'De Dulle Griet' doolt op een slagveld rond waarop het rode schijnsel van een brand blijft hangen. De betekenis van dit schilderij uit 1561 blijft een raadsel. En wat dan nog... Deze bijna diabolische voorstelling van het geweld, de hebzucht en de dood is werkelijk fascinerend.

Fritz Mayer van den Bergh was neither an æsthete nor a dilettante but a passionate collector. Over a twenty year period he acquired an extensive collection of works running from the 15th to 17th centuries, choosing only the best despite the cost.

"Dulle Griet" by Pieter Breugel the Elder acquired by Fritz Mayer van den Bergh is one of the masterpieces of the museum. It appears that Breugel did not want to leave any empty space in this composition dominated by the irrational and the fantastic. "Mad Meg" strides through a battlefield lit by the red flames of a conflagration. The meaning of the picture painted in 1561 remains an enigma, but even so this diabolic evocation of violence, avarice and death is fascinating.

Ni esthète ni dilettante, Fritz Mayer van den Bergh était un collectionneur passionné. En une vingtaine d'années, il rassembla des œuvres d'entre les XVᵉ et XVIIᵉ siècles, s'efforçant de n'acquérir que les meilleures quoiqu'il pût lui en coûter.

La "Dulle Griet" de Pierre Bruegel l'Ancien, qu'acquit Fritz Mayer van den Bergh, est l'un des chefs-d'œuvres du musée. Bruegel semble avoir eu la volonté de ne laisser aucun espace libre dans sa composition dominée par l'irrationnel et le fantastique : "Margot l'Enragée" erre sur un champ de bataille au-dessus duquel planent les lueurs rouges d'un incendie. La signification du tableau peint en 1561 demeure une énigme. Qu'importe ! Cette évocation quasi diabolique de la violence, de la cupidité et de la mort est fascinante.

Fritz Mayer van den Bergh, weder Ästhet noch Dilettant, war ein leidenschaftlicher Sammler. In rund zwanzig Jahren sammelte er Kunstwerke vom 15. bis 17. Jh., wobei er danach strebte, nur die besten Werke zu erstehen, koste es, was es wolle.

Die 'Dulle Griet' von Pieter Bruegel dem Älteren, die von Fritz Mayer van den Bergh angeschafft wurde, ist eines der Meisterwerke des Museums. Bruegel schien die Absicht gehabt zu haben, den gesamten Raum des Werks mit irrationalen und phantastischen Elementen zu füllen. 'Das zornige Gretchen' irrt auf einem Schlachtfeld umher, auf dem der rote Wiederschein eines Feuers hängt. Die Bedeutung dieses Gemäldes von 1561 bleibt ein Rätsel. Wie dem auch sei... Diese nahezu diabolische Darstellung von Gewalt, Begierde und Tod ist faszinierend.

◁◁

*H*et neogotisch huis in de Lange Gasthuisstraat nummer 19 werd door de douairière Mayer van den Bergh opgericht om er de prestieuze kunstcollectie van haar zoon Fritz in onder te brengen. Het huis is een reconstructie, gerealiseerd tussen 1901 en 1904, van de oude pastorij van Sint-Walburgis en een, eveneens verdwenen, gevel in de Zakstraat.

Boven.
De bibliotheek van het huidig museum Mayer van den Bergh bevat zo'n 800 verkoop- en tentoonstellingscatalogi uitgegeven bij het leven van de verzamelaar. Ze onthullen zijn interesse die zich hoe langer hoe meer op de kunst van de oude Nederlanden concentreerde.

*L*a maison néo-gothique au numéro 19 de la Lange Gasthuisstraat, que la douairière Mayer van den Bergh destinait à abriter la prestigieuse collection d'œuvres d'art rassemblée par son fils Fritz, est une reconstitution réalisée entre 1901 et 1904 de l'ancien presbytère de Sainte-Walburge et d'une façade de la rue du Sac, tous deux disparus.

Ci-dessus.
La bibliothèque de l'actuel musée Mayer van den Bergh contient quelque huit cents catalogues de ventes et d'expositions édités du vivant du collectionneur. Ils révèlent son intérêt de plus en plus centré sur l'art des anciens Pays-Bas.

The Gothic Revival house at 19 Lange Gasthuisstraat built between 1901 and 1904 by the dowager Mayer van den Bergh to house the splendid art collection of her son Fritz is composed of the former presbytery of Saint Walburga's church and a façade from the Zakstraat, both now disappeared.

Left page.
The library of the museum contains some eight hundred sale and exhibition catalogs published during the connoisseur's lifetime. They reveal his growing interest in the art of the former Low Countries.

Das neugotische Haus Nummer 19 in der Lange Gasthuisstraat, das die Erbin Frau Mayer van den Bergh zur Unterbringung der wertvollen Kunstsammlung ihres Sohnes Fritz bestimmt hat, ist die zwischen 1901 und 1904 durchgeführte Rekonstruktion des alten Pfarrhauses von St.-Walburgis und einer Fassade der Zakstraat, die alle beide nicht mehr vorhanden sind.

Linke Seite
Die Bibliothek des heutigen Museums Mayer van den Bergh umfasst etwa achthundert Verkaufs- und Ausstellungskataloge, die zu Lebzeiten des Sammlers herausgegeben worden sind. Sie zeugen davon, dass sich sein Interesse zunehmend auf die Kunst der alten niederländischen Meister konzentrierte.

△ het Jordaenshuis

In 1641, één jaar na het overlijden van Rubens, bouwde de schilder Jacob Jordaens naar eigen ontwerp een patriciërshuis dat in verhouding tot zijn rijkdom stond. Hij leefde en werkte hier tot zijn dood. In het midden van de woongevel (Reyndersstraat nummer 6) die uitkomt op de binnenkoer, ontplooit zich boven het portaal, met rondbogen tussen de twee samengestelde pilasters, een balustrade op de architraaf. Op die balustrade staan twee hermeszuilen met Ionische kapitelen. Een fronton omsluit een borstbeeld in de nis... Het is werkelijk een heel mooi staaltje architectuur, nauw verbonden met de traditie van het Mantuaans huis op het einde van de Renaissance.

In 1641, one year after the death of Peter Paul Rubens, the artist Jacob Jordaens designed the plans for his own patrician house. He lived and worked there until his death. The centre of the façade, giving on the courtyard at 6 Reyndersstraat, develops vertically from the Roman arches of the portal between two composite pilasters with a balustrade on the architrave to the two inset statues under Ionic capitals, and then to the pediment which has a bust in a niche. This is a very fine piece of architecture based on the style of Mantua at the end of the Renaissance.

En 1641 – un an après le décès de Rubens – le peintre Jacob Jordaens dressa lui-même les plans d'une maison patricienne à la mesure de sa richesse. Il y vécut et y travailla jusqu'à sa mort. Au centre de la façade de l'habitation (Reyndersstraat 6) donnant sur la cour intérieure, se déploient verticalement le portail aux arcs en plein cintre entre deux pilastres composites, une balustrade sur l'architrave, deux statues engaînées sous chapiteaux ioniques, un fronton entourant un buste dans la niche... Un très beau morceau d'architecture qui se rattache à la tradition de la maison mantouane de la fin de la Renaissance.

Im Jahre 1641 – ein Jahr nach dem Tod von Rubens – erstellte der Maler Jacob Jordaens höchstselbst die Pläne für ein seinem Reichtum angemessenen Herrenhaus. Er lebte und arbeitete dort bis zu seinem Tod. In der Mitte der auf einen Innenhof weisenden Fassade des Wohngebäudes (Reyndersstraat 6) entfalten sich in vertikaler Linie das Portal mit einem Rundbogen zwischen zwei Kompositpfeilern, eine Balustrade auf dem Architrav, zwei in ionischen Kapitellen mündende Statuen, ein Frontgiebel, der eine Büste in einer Nische umrahmt... Ein wunderschönes Stück Architektur nach der Tradition des mantuanischen Hauses gegen Ende der Renaissance.

◁▽ *het huis Draecke*

Rijk geworden door de handel, was de familie Draecke één van de bekendste namen in de grootstad. Zij leverde meerdere burgemeesters en schepenen. De westvleugel van hun huis (Heilige Geeststraat 9) stamt uit de 15de eeuw. De andere delen daarentegen werden in de 16de eeuw gebouwd, terwijl de gaanderij met de zware zuilen 17de-eeuws is. Bovenop hun toren konden de Draeckes de stad en het komen en gaan van hun schepen op de Schelde observeren.

Enrichie par le commerce, la famille Draecke était l'une des plus connues de la Métropole. Elle lui donna plusieurs échevins et bourgmestres. L'aile occidentale de sa maison (Heilige Geeststraat 9) date du XVᵉ siècle. Les autres furent bâties au siècle suivant tandis que la galerie aux fortes colonnes est du XVIIᵉ siècle. Du haut de leur tour, les Draecke pouvaient observer la cité et guetter les allées et venues de leurs navires sur l'Escaut.

Wealthy businessmen, the Draecke family was one of the most prominent in Antwerp, providing several deputy mayors and burgomasters to the city. The west wing of their mansion at 9 Heilige Geeststraat dates from the 15ᵗʰ century. Other wings were added in the following century and the gallery with its massive columns dates from the 17ᵗʰ. The Draeckes could survey the city and, most important, observe the comings and goings of their ships on the Schelde from the top of their tower.

Die durch den Handel reich gewordene Familie Draecke war eine der bekanntesten Familien der Stadt. Ihrem Schoß entstammten mehrere Magistratsbeamten und Bürgermeister. Der westliche Flügel ihres Hauses (Heilige Geeststraat 9) geht auf das 15. Jh. zurück. Die anderen Trakte wurden im nächsten Jahrhundert erbaut, im 17. Jh. folgte schließlich dann die Galerie mit den kolossalen Säulen. Von ihrem Turm herab konnte die Familie Draecke die Stadt überblicken und das Ein- und Auslaufen ihrer Schiffe auf der Schelde beobachten.

het museum Plantin-Moretus

Christoffel Plantin, afkomstig uit Tours in Frankrijk, vestigde zich in 1550 als boekbinder te Antwerpen. Vijf jaar later begon hij een drukkerij en al vlug werd hij één van de belangrijkste Europese uitgevers. Het huis van Plantin-Moretus werd in verschillende fasen rond de binnenplaats gebouwd : een eerste maal onder Jan Moretus, vervolgens onder Balthasar I en tenslotte onder Frans-Jan Moretus, die een voorgebouw liet oprichten in Lodewijk XV-stijl, harmonieus verbonden met het oude renaissancehuis. In 1876 kocht de stad het huis en maakte er het opmerkelijk museum Plantin-Moretus van.
Boven.
Het huis van Balthasar I Moretus en zijn opvolgers geeft een hoogtepunt in levenskunst weer. De salon op de eerste verdieping is bekleed met verguld Mechels leer.

Christopher Plantin came to Antwerp from Tours, France, in 1550 and worked first as a bookbinder. Five years later he founded his own printing works, quickly becoming one of the principal publishers in Europe. The Moretus-Plantin residence was built around an inner courtyard in several stages, first by Jan I Moretus, followed by Balthasar I and finally by Frans Jan Moretus who built the main building in the Louis XV style, linked to the earlier Renaissance style buildings. The city took ownership of the mansion in 1876, turning it into the extraordinary Plantin-Moretus Museum.
Above.
The residence of Balthasar I Moretus and his successors is a fine example of the easy life in the 17th century. The walls of the large reception room are covered with gilden Mechelen leather.

Originaire de Tours en France, Christophe Plantin s'installa en 1550 à Anvers comme relieur. Cinq ans plus tard, il créait son imprimerie et ne tarda pas à s'imposer comme l'un des principaux éditeurs d'Europe. La demeure des Moretus-Plantin a été construite autour de la cour intérieure en plusieurs phases : sous Jean Ier Moretus d'abord, Balthasar Ier ensuite, et enfin François-Jean Moretus qui fit ériger un avant-corps de style Louis XV relié à l'ancien ensemble Renaissance. La ville, qui devint propriétaire de la maison en 1876, en fit l'extraordinaire musée Plantin-Moretus.
Ci-dessus.
La demeure de Balthasar Ier Moretus et de ses successeurs représentait un sommet dans l'art de vivre. Dans le grand salon de réception, les murs sont revêtus de cuir doré de Malines.

Christophe Plantin, der aus dem französischen Tours stammte, ließ sich 1550 als Buchbinder in Antwerpen nieder. Fünf Jahre später gründete er seine Druckerei und wurde bald zu einem der wichtigsten Verleger Europas. Das Wohnhaus der Familie Moretus-Plantin wurde um einen Innenhof herum in mehreren Phasen erbaut: zunächst unter Jan Moretus, dann unter Balthasar I. Moretus und schließlich unter Franciscus-Johannes Moretus, der einen in harmonischer Weise mit dem Renaissance-Gebäudekomplex verbundenen Vorbau im Louis-quinze-Stil anfügen ließ. 1876 kaufte die Stadt das Haus und richtete dort das einzigartige Museum Plantin-Moretus ein.
Oben
Das Wohnhaus von Balthasar I. Moretus und seiner Erben stellte eine glanzvolle Repräsentation der Lebenskunst dar. Die Wände des großen Empfangssaals sind mit vergoldetem Leder aus Mechelen verkleidet.

*D*ankzij het fortuin en de waardigheid van de Moretus-Plantinfamilie, is de *Officina Plantiniana* tot in het kleinste detail intact gebleven.

Linkerbladzijde, boven.

In de voorraadkamer van lettertekens staan tientallen letter-kasten gerangschikt. Elk van hen bevat een bepaald korps van een alfabet (Romeins, Italiaans, Gotisch, Grieks, Hebreeuws). Onder de laden ligt er nog steeds een reserve van zo'n tien ton lettertekens, zorgvuldig verpakt in hun papier.

Linkerbladzijde, onder.

Alvorens tot drukken over te gaan, werd er van elke bladzij-de een afdruk gemaakt, waarop de proeflezers de kleinste fout traceerden. Ze zaten daarbij aan een grote eiken tafel met, aan de uiteinden, een bank met een hoge rugleuning.

Rechterbladzijde.

In de drukkerij, ingericht in 1580, bevatten de houten wand-rekken letterbakken, waaruit de letterzetters tekens namen, die ze vervolgens per regel op een zethaak en dan per pagina op een galei plaatsten. Daartegenover staan er vijf drukpersen uit de 17de en 18de eeuw. De twee drukpersen op het einde van de zaal zijn 16de-eeuws: ze zijn de oudste van de wereld.

*G*râce à la fortune des Moretus-Plantin et à leur fierté fami-liale, l'*officine plantinienne* nous est parvenue intacte avec ses moindres ateliers et tout leur matériel.

Page de gauche, en haut.

Des dizaines de casses sont rangées dans la réserve des carac-tères. Chacune est réservée à un corps des différents alphabets (romain, italique, gothique, grec et hébreu). Sous les tiroirs, les réserves d'environ dix tonnes de caractères demeurent soi-gneusement emballées dans du papier.

En bas.

Avant l'impression, des épreuves de chaque page étaient tirées et soumises aux relecteurs qui, installés à une grande table de chêne avec, à ses extrémités, un banc à haut dossier, y traquaient la moindre faute.

Page de droite.

Dans l'atelier d'imprimerie aménagé en 1580, les étagères de bois recèlent les casses contenant les caractères que les compo-siteurs prélevaient pour les placer dans leur composteur, puis dans les galées des chassis. En face sont rangées cinq presses des XVIIᵉ et XVIIIᵉ siècles. Les deux presses installées au fond datent du XVIᵉ siècle : elles sont les plus anciennes conservées au monde.

*T*hanks to the considerable fortune of the Moretus-Plantin family and their sense of family pride the publishing house has remained intact down to the smallest workshops and their equipment.

<u>*Left page, above.*</u>

Dozens of type boxes line the type reserve. Each one is devoted to a body of different alphabets such as Roman, Greek, Gothic and Hebrew. Under the drawers are some ten tons of characters carefully wrapped in paper.

<u>*Below.*</u>

Before the final printing galleys of each page were struck and given to proofreaders who sat at a large oak table with high backed benches at the ends, searching for the tiniest error.

<u>*Page right.*</u>

In the printing room proper, set up in 1580, boxes containing type sit on the wooden shelves. The typesetters placed the type in their composing sticks and then in the composing galley of the chase. Five presses from the 17th and 18th centuries stand in the forefround. The two presses in the rear date from the 16th century and are the oldest still existing in the world.

*D*ank des Wohlstands der Familie Moretus-Plantin und ihres Familienstolzes ist die *Officina Plantiniana* mit allen ihren Werkräumen und der kompletten Ausstattung bis in unsere Tage erhalten geblieben.

<u>*Linke Seite, oben*</u>

Im Lagerbereich der Druckbuchstaben befinden sich Dutzende von Setzkästen. Jeder ist dem Buchstabensatz eines anderen Alphabets reserviert (römisch, italisch, gotisch, griechisch und hebräisch). Unter den Schubladen lagern sorgfältig in Papier eingewickelt die Vorräte von ungefähr zehn Tonnen Druckbuchstaben.

<u>*Unten*</u>

Vor dem Drucken wurden von jeder Seite Probedrucke angefertigt und den Korrektoren vorgelegt, die an einem großen Eichentisch, an dessen Enden sich eine Bank mit hoher Rückenlehne befand, saßen und den kleinsten Fehler anmerkten.

<u>*Rechte Seite*</u>

In der 1580 eingerichteten Druckerwerkstatt befinden sich in den Holzregalen die Setzkästen mit den Druckbuchstaben, die die Schriftsetzer entnahmen, um sie zunächst auf ihre Winkelhaken anzuordnen und dann in die Setzschiffe der Druckerrahmen zu platzieren. Gegenüber sind fünf Druckerpressen aus dem 17. und 18. Jh. zu sehen. Die beiden hinteren Pressen stammen aus dem 16. Jh. Sie sind die weltweit ältesten noch erhaltenen Pressen.

Boven.

*18*de-eeuwse wandtapijten met kleurrijke liefdestaferelen versieren de renaissancesalon vlak naast de galerij. Boven de deur hangt het portret van de 64-jarige Christoffel Plantin, geschilderd door Pieter-Paul Rubens, naar een kopie van een anoniem werk bewaard in de universiteit van Leiden.

Rechterbladzijde.

De neostoicijnse humanist Justus Lipsius, aarzelend tussen het protestantisme en het katholicisme, was een huisvriend van Plantin en ook de geestelijke leermeester van Rubens. Tijdens een verblijf in Mantua ontmoette laatstgenoemde hem. Een schilderij in het Pitimuseum in Firenze getuigt hier nog steeds van. Men ziet er Justus Lipsius met zijn leerlingen : Pieter-Paul Rubens op de achtergrond, zijn broer Filip en hun vriend Wolverius. Een kopie uit de tijd van dit werk hangt naast 'De dood van Seneca', bij Rubens besteld door Balthasar Moretus en gemaakt rond 1615.

Ci-dessus.

*D*es tapisseries du XVIIIᵉ siècle, dont une chatoyante scène galante, ornent le salon Renaissance attenant à la galerie. Au-dessus de la porte, on a accroché le portrait de Christophe Plantin âgé de 64 ans, que Pierre-Paul Rubens peignit d'après la copie de l'œuvre anonyme conservée à l'université de Leyde.

Page de droite.

Hésitant entre protestantisme et catholicisme, l'humaniste néo-stoïcien Juste Lipse (1547-1606) était un familier de Plantin et le maître à penser de Rubens qui évoquera leur rencontre, lors du séjour de Rubens à Mantoue, dans un tableau conservé au musée Pitti de Florence ; l'on y voit Juste Lipse avec ses disciples : Pierre-Paul Rubens à l'arrière-plan, son frère Philippe et leur ami Wolverius. Une copie d'époque de cette œuvre voisine avec une "Mort de Sénèque" que Rubens réalisa vers 1615 pour Balthasar Moretus.

Op de muren van de eerste salon van de benedenverdieping zijn er Brusselse wandtapijten van de 16de eeuw gehangen. Ze illustreren de heldendaden van Thomyris, koningin van de Massageten, die de Perzische koning Cyrus de Grote overwon en doodde.

Onder.

In plaats van de vijf kleine huisjes die Frans-Jan Moretus (1732-1802) liet afbreken, plaatste hij op de Vrijdagmarkt een voorgebouw. De ietwat stramme stijl uit de periode van Lodewijk XV kenmerkt vooral het voorportaal met de bovendrempel waarop Artus Quellinus een cartouche met het embleem van de Gulden Passer liet plaatsen, links geflankeerd door een Hercules die natuurlijk voor Arbeid staat, en rechts een vrouw die de Volharding oproept.

Sur les murs du premier salon du rez-de-chaussée sont appendues des tapisseries bruxelloises du XVIᵉ siècle. Elles illustrent les exploits de Thomyris, reine des Messagètes, qui vainquit et tua Cyrus le Grand, roi des Perses.

En bas.

À l'emplacement de cinq petites maisons qu'il fit démolir, François-Jean Moretus (1732-1802) fit construire un vaste avant-corps sur le Vrijdagmarkt, la place du Marché du vendredi. Son style Louis XV un peu raide marque surtout le portail, au linteau duquel a été placé un cartouche par Artus Quellin cernant l'emblème du Compas d'Or et le flanquant, à gauche, par un Hercule symbolisant bien sûr le travail et, à droite, par une femme évoquant la Persévérance.

Sixteenth century Brussels tapestries decorate the walls of the first drawing room on the ground floor. They depict the exploits of Thomyris, Queen of the Massagetai who defeated and slew the Persian king Cyrus the Great.

Below.

Frans Jan Moretus (1731-1802) had a huge main building constructed on the site of five little houses he demolished on the Vrijdagmarkt or Friday market square. Its rather stiff Louis XV style is most evident in the portal on the lintel of which is placed a shield by Artus Quellinus. It displays the house emblem of the golden Compass flanked by Hercules on the left symbolizing Labour and by a woman representing Perseverance on the right.

An den Wänden des ersten Saales im Erdgeschoss hängen Brüsseler Wandteppiche aus dem 16. Jh. Sie zeigen die Heldentaten von Thomyris, der Königin der Messageten, die Cyrus, den König der Perser, besiegt und getötet hatte.

Unten

Frans-Jan Moretus (1732-1802) ließ fünf kleine Häuser abreißen und erbaute zum Vrijdagmarkt hin an deren Stelle einen geräumigen Vorbau. Von seinem etwas steifen Louis-quinze-Stil ist vor allem das Portal geprägt, an dessen Türsturz sich eine Kartusche von Artus Quellinus befindet, die das Emblem des goldenen Kompasses einkreist und dieses links durch einen Herkules, dem Symbol der Arbeit, und rechts durch eine Frau als Sinnbild für die Ausdauer begrenzt.

De bibliotheek, gebouwd door Balthasar Moretus, diende ook als privékapel van de familie, wat de aanwezigheid van 'Christus aan het kruis' verklaart. Op de lessenaars ziet men borstbeelden van apostels en pausen, terwijl boven de boekenrekken een reeks plaasteren borstbeelden keizers uit de Oudheid afbeelden. De globes werden in 1731 in Parijs door Robert de Vaugondy de Jonge gemaakt.

The library created by Balthasar Moretus was also the private family chapel which explains the presence of "Christ on the Cross". Wooden busts of popes and apostles stand on the desks whereas the busts of scholars and emperors of Antiquity above the bookshelves are in plaster. The globes were made in Paris by Robert de Vaugondy the Younger in 1731.

La bibliothèque créée par Balthasar Moretus servait aussi de chapelle privée à la famille, ce qui explique la présence du "Christ en croix". Sur les pupitres sont disposés les bustes d'apôtres et de papes tandis qu'au-dessus des rayons de livres, des bustes en plâtre représentent une série de savants et d'empereurs de l'Antiquité. Les globes terrestres furent réalisés en 1731 à Paris par Robert de Vaugondy fils.

Die von Balthasar Moretus geschaffene Bibliothek diente der Familie auch als Privatkapelle, was den „Christus am Kreuz" erklärt. Auf den Pulten stehen die Büsten von Aposteln und Päpsten, während die Gipsbüsten über den Bücherregalen Gelehrte und Herrscher der Antike darstellen. Die Erdkugeln wurden 1731 in Paris von Robert de Vaugondy, Sohn, angefertigt.

de Sint-Andries-kerk

De Augusteinenobservanten van de Saksische Congregatie woonden in Antwerpen vlak bij een kerk, toegeschreven aan Domien de Waghemakere, waarvan het kerkschip en het dwarsschip voltooid werden in 1522. Verdacht van Lutherse ketterij, werden de monniken tijdelijk uit de stad verbannen. Toen ze in 1528 terugkeerden, hernamen ze echter onmiddellijk de werken. In 1663 greep er een wijziging van de kruisbeuk plaats. In de 18de eeuw werd het koor verniewd. Het bevond zich voortaan naast de kapellen. Er werd ook een nieuwe toren in de achthoekige koepel gebouwd.

Rechterbladzijde.

Het voornamelijk 17de-eeuwse meubilair is van een zeer goede kwaliteit : barokke koorstoelen en een hoofdaltaar (1665) dat nog uit de verdwenen Sint-Bernardusabdij komt. De barokke preekstoel is jonger. In zijn sokkel integreert hij een expressieve 'Wonderbaarlijke Visvangst' van Jan-Frans van Geel (1756-1830).

Les Augustins de la congrégation de Saxe s'étaient établis à Anvers auprès d'une église, attribuée à Domien de Waghemakere, dont la nef et le transept étaient achevés en 1522. Suspects d'hérésie luthérienne, les religieux furent momentanément bannis de la ville. Après leur retour, les travaux reprirent en 1528. Un remaniement du transept intervint en 1663 puis, au XVIIIe siècle, un renouvellement du chœur désormais flanqué de chapelles et la construction d'une nouvelle tour à lanterne octogonale.

À droite.

L'ensemble du mobilier, principalement du XVIIe siècle, est d'une qualité remarquable : stalles ba-roques, maître-autel de 1665 provenant de l'abbaye Saint-Bernard disparue et chaire de vérité. Plus tardive mais d'esprit baroque, celle-ci intègre à sa base une expressive "Pêche miraculeuse" de Jean-François van Geel (1756-1830).

The Augustinians of the Saxon congregation in Antwerp were installed in a church attributed to Domien de Waghemakere. The nave and transept were completed in 1522. Suspected of the Lutheran heresy, they were banished from the city for a while. Work began again upon their return in 1528. In 1663 the transept was remodelled and then in the 18th century the choir was rebuilt with flanking chapels and a new octagonal lantern tower.

Right.

The furnishings, mostly 17th century, are of remarkable quality such as the baroque stalls and a high altar of 1665 recuperated from the now vanished Abbey of St. Bernard. The pulpit in the baroque style is of a later date and has an expressive "Miraculous Draught of Fishes" by Jan Frans van Geel.

Die Augustiner des Ordens von Sachsen hatten sich in Antwerpen in der Nähe einer vermutlich von Domien de Waghemakere erbauten Kirche niedergelassen, deren Haupt- und Querschiff 1522 vollendet wurden. Der Anhängerschaft der Irrlehre Luthers bezichtigt, wurden die Ordensbrüder zeitweilig aus der Stadt verbannt. Nach ihrer Rückkehr wurden die Arbeiten im Jahre 1528 wieder aufgenommen. 1663 erfolgte eine Umarbeitung des Querschiffes, im 18. Jh. dann eine Erneuerung des Chorraumes, der von da an von Kapellen umgeben wird, und der Bau eines neuen, achteckigen Laternenturmes.

Rechte Seite

Die gesamte, vorwiegend aus dem 17. Jh. stammende Inneneinrichtung ist von bemerkenswerter Qualität : barockes Chorgestühl, ein Hochaltar von 1665 aus der nicht mehr existierenden St.-Bernhard Abtei. Den Sockel der aus einer etwas späteren Epoche stammenden barocken Kanzel schmückt das ausdrucksstarke Kunstwerk „Wundersamer Fischfang" von Jan-Frans van Geel (1756-1830).

het huis Mercator-Ortelius

*H*et huis Mercator-Ortelius zou zijn naam ontlenen aan de geograaf Abraham Ortelius (1527-1598) die vlakbij in dezelfde Kloosterstraat woonde. Het grote huis op nummer 11 behoorde in werkelijkheid toe aan de familie de Deckere. De opvallende achtergevel wordt door machtige pilasters geritmeerd en eindigt in een breed driehoekig fronton. Lange tijd aan zijn lot overgelaten, werd het gebouw in 1943 door de Vereniging van Historische Woonsteden van Antwerpen aangekocht.

Links.
De voorgevel die op een binnenkoer uitgeeft, werd in 1698 ontworpen door H.-F. Verbruggen in een late barokstijl die al sterk beïnvloed is door de Lodewijk XIV-stijl. Hetzelfde geldt voor de beelden van Bacchus en Venus, toegeschreven aan J. Gelauden De Kock (1668-1736).

*L*a maison Mercator-Ortelius devrait son nom au fait que le géographe Abraham Ortelius (1527-1598) habitait non loin de là dans la même Kloosterstraat. La grande maison du numéro 11 appartenait en réalité à la famille de Deckere. La remarquable façade arrière est rythmée par de puissants pilastres et se termine par un large fronton triangulaire. Longtemps laissé à l'abandon, l'immeuble fut acquis en 1943 par la Vereniging van Historische Woonsteden van Antwerpen.

À gauche.
Donnant sur une cour intérieure, sa façade de 1698 conçue par H.-F. Verbruggen appartient à un baroque tardif déjà très influencé par le style Louis XIV. Il en va de même pour les statues de Bacchus et Venus attribuées à J. Gelauden de Kock (1668-1736).

*T*he Mercator-Ortelius house bears this name because the geographer Abraham Ortelius (1527-1598) lived near it on Kloosterstraat. Number 11 actually belonged to the de Deckere family. The remarkable rear façade is punctuated by powerful pilasters and topped by a large triangular pediment. The long abandoned building was acquired in 1943 by the Antwerp Union for Historic Houses.
Left.
The façade of 1698 giving on the inner courtyard was designed by H. F. Verbruggen in a late baroque style already influenced by the new Louis XIV style. The same may be said of the statues of Bacchus and Venus attributed to J. Gelauden de Kock (1668-1736).

*D*as Mercator-Ortelius-Haus verdankt seinen Namen der Tatsache, dass der Geograph Abraham Ortelius (1527-1598) nicht weit von diesem entfernt in derselben Straße (Kloosterstraat) gewohnt hat. Das große Haus mit der Nummer 11 gehörte in Wirklichkeit Familie de Deckere. Die bemerkenswerte Rückseite wird durch starke Pfeiler unterbrochen und endet in einem breiten dreieckigen Frontgiebel. Nachdem das Gebäude lange Zeit dem Verfall überlassen worden war, wurde es 1943 von der Vereniging van Historische Woonsteden van Antwerpen gekauft.
Links
Die 1698 von H.-F. Verbruggen entworfene Fassade auf einen Innenhof hin gehört einem späten Barockstil an, der bereits stark vom Lous-quinze-Stil beeinflusst war. Gleiches gilt für die Bacchus- und Venusstatuen, die wahrscheinlich von J. Gelauden de Kock (1668-1736) stammen.

het museum voor Schone Kunsten

*H*et ontstaan van het museum, een van de belangrijkste van België, gaat terug tot de stichting van het gilde van Sint-Luc in 1492. Onder keizerin Maria-Theresia werden de collecties overgebracht naar de Academie van Schone Kunsten, om vervolgens door Napoleon in 1804 in het oude klooster van de Minderbroeders bijeengebracht te worden. Verwervingen en giften stapelden zich op, stad en staat verenigden zich, om uiteindelijk tussen 1884 en 1890 naast de verwoeste omwallingen van de oude burcht een Koninklijk Museum te stichten.

In de monumentale voorgevel, die uitgeeft op de Leopold de Waelplaats, ziet met een breed portiek met Korintische Zuilen. In 1944 raakte een V-2 raket het museum. Het gebouw werd daarna niet enkel gerestaureerd, maar ook aanzienlijk vergroot en aangepast aan de eisen van de moderne museologie.

Op de daklijst, die hoger is dan de rest van het gebouw, werden in 1905 twee sokkels geplaatst. Op elk van hen staat een Romeinse tweespan, gemend door de allegorische figuur 'De Faam', werken van Thomas Vinçotte.

The origins of the museum, one of the most important in Belgium, date back to the founding of the Guild of Saint Luke in 1492. Under Empress Maria Theresia the guild's collections were transferred to the Fine Arts Academy and then were installed in the former monastery of the Friars Minor by Napoleon in 1804. Donations and purchases increased the collections and the city and the State united to provide a new Fine Arts museum built between 1884 and 1890 near the demolished ramparts of the old citadel.

The monumental façade on Leopold de Waelplaats presents a large portico with Corinthian columns in Euville stone. The building, hit by a V-2 rocket in 1944 has been not only restored but also considerably enlarged and adapted to modern museum technology.

On the cornice standing above the building are two socles installed in 1905 each bearing a Roman chariot led by Fame, work of Thomas Vinçotte.

*L'*origine du musée, l'un des plus importants de Belgique, remonte à la fondation de la guilde de Saint-Luc en 1492. Sous l'impératrice Marie-Thérèse, ses collections furent transférées à l'Académie des beaux-arts avant d'être rassemblées en 1804 par Napoléon dans l'ancien couvent des Frères Mineurs. Acquisitions et dons se multipliant, la ville et l'État s'unirent pour créer entre 1884 et 1890 le Musée royal des Beaux-Arts, près des remparts démolis de l'ancienne citadelle.

La façade monumentale donnant sur la Leopold de Waelplaats présente un large portique à colonnes corinthiennes. Touché par une fusée V-2 en 1944, le bâtiment fut non seulement restauré mais aussi considérablement agrandi et adapté aux exigences de la muséologie moderne.

Sur la corniche surélevée par rapport à l'ensemble, deux socles ont été posés en 1905 pour accueillir chacun un char romain mené par une Renommée, œuvres de Thomas Vinçotte.

*D*as Museum, das zu den bedeutendsten Galerien Belgiens zählt, wurde im Jahre 1492 von der St.-Lukas Gilde gegründet. Unter Kaiserin Maria-Theresa wurden die Kunstsammlungen des Museums in die Akademie der Schönen Künste überführt und 1804 dann von Napoleon im ehemaligen Kloster der Franziskaner zusammengestellt. Angesichts der steigenden Zahl von Ankäufen und Schenkungen taten sich Stadt und Land zusammen und schufen zwischen 1884 und 1890 in der Nähe der abgerissenen Befestigungsmauern der ehemaligen Zitadelle das Königliche Museum.

Die gewaltige Fassade zum Leopold de Waelplaats hin weist eine breite Vorhalle mit korinthischen Säulen auf. Nachdem das Gebäude 1944 von einer V2-Bombe getroffen worden war, wurde es beim Wiederaufbau zugleich erheblich erweitert und den Anforderungen an einen modernen Museumsbau angepasst.

Auf das über den Gesamtkomplex herausragende Kranzgesims wurden 1905 zwei Sockel als Träger für jeweils einen von einer Lenkerin gezogenen römischen Wagen gestellt, Werke von Thomas Vinçotte.

de synagoge Shomre Hadass

De Joodse gemeenschap is in Antwerpen altijd zeer talrijk geweest en groeide, dankzij de diamantnijverheid, lang aan. Voor deze groep werd in 1898 de synagoge Shomre Hadass in de Bouwmeesterstraat gebouwd. De architecten ontwierpen haar in een opmerkelijke neomoorse stijl. De stenen gevel, geopend door een stenen rosas, wordt gedomineerd door twee torens, waarvan de toppen op minaretten gelijken.

Het interieur behoort eveneens tot die moorse stijl. Hij kwam in de mode dankzij de synagogen in Keulen, Berlijn, Londen en Firenze uit dezelfde periode. De zuilengalerijen die de drie schepen onderscheiden, ondersteunen de tribunes, die voor vrouwen bestemd zijn. Onder een grote boog in de vorm van een hoefijzer wordt de Torah (de wet van Moses) bewaard in een klein bouwwerk met koepel en minaretten. In het midden is de verhoging – de *bimah*- voorbehouden voor de lezing of voor het zingen van de heilige teksten door de *chazzan*.

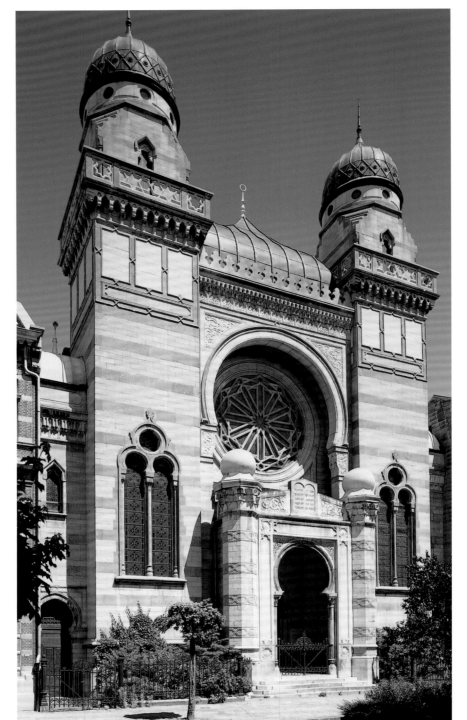

La communauté juive a toujours été nombreuse à Anvers et n'a cessé de s'accroître grâce à l'activité diamantaire. À son intention, la synagogue Shomre Hadass a été construite en 1898 dans la Bouwmeesterstraat. Les architectes l'ont conçue dans un étonnant style néo-mauresque : la façade en pierre, ouverte par une large rosace, est dominée par deux tours dont les sommets ont des allures de minarets.

L'intérieur appartient à ce style mauresque mis à la mode par les synagogues contemporaines de Cologne, Berlin, Londres et Florence. Les colonnades qui séparent les trois nefs supportent les tribunes réservées aux femmes. Sous un grand arc en fer à cheval, la Torah (la loi de Moïse) est conservée dans un petit édifice à coupole et minarets. Au centre, une estrade – le *bimah* – est destinée à la lecture ou au chant des textes sacrés par le *chazzan*.

There has always been a substantial Jewish community in Antwerp, which increased because of the diamond industry. The Shomre Hadass synagogue was built on Bouwmeesterstraat in 1898 for their devotions. The architects designed it in an astonishing neo-Moorish style. The stone façade with its large rose window is dominated by two towers resembling minarets.

The interior presents the same Moorish style made fashionable by contemporary synagogues in Cologne, Berlin, London and Florence. The colonnades separating the three naves support the women's galleries. Under the large horseshoe arch the Torah (the Mosaic law) is stored in an ark with minarets and cupola. A dais – the *bimah* – is used for the reading or chanting of the sacred texts by the cantor.

Es gab in allen Epochen eine große jüdische Gemeinde in Antwerpen, die dank des Diamantenhandels ständig weiter anwuchs. Für sie wurde 1898 in der Bouwmeesterstraat die Synagoge Shomre Hadass erbaut. Die Architekten haben sie in einem bewundernswerten neumaurischen Stil entworfen. Die durch eine große Rosette unterbrochene Steinfassade wird von zwei Türmen dominiert, deren Spitzen die Form von Minaretten haben.

Im Inneren findet sich der maurische Stil wieder, der durch die zur gleichen Zeit in Köln, Berlin, London und Florenz errichteten Synagogen in Mode gekommen war. Die Kolonnaden, die die drei Schiffe von einander trennen, dienen als Tragpfeiler für die den Frauen vorbehaltenen Tribünen. Unter einem großen Hufeisenbogen wird die Thora (das Gesetz Moses) in einem kleinen Schrein mit Kuppel und Minaretten aufbewahrt. In der Mitte des Raumes befindet sich ein Podium – der *bimah* –, auf dem der *chazzan* die Lesung oder den Gesangesvortrag der heiligen Texte vornimmt.

de Nationale Bank

*H*et imposante (alsof het al voorbestemd was) driehoekig complex in Euville-steen van de Antwerpse zetel van de Nationale Bank is het neorenaissancewerk van de beroemde Henri Beyaert. De hoekpaviljoenen, die veel weg hebben van torens, accentueren het monumentale karakter van de hoofdgevel op de Frankrijklei. Deze is versierd met renaissancistisch geïnspireerde basreliëfs, zoals bijvoorbeeld de handelsevocatie van Jacques de Braeckeleer.

*T*he triangular complex housing the National Bank in Antwerp is as imposing as the name of its owners. Built in Euville stone it is a neo-Renaissance work by the celebrated Henri Beyaert. Corner pavilions abutting the towers accent the monumentality of the façade on the Frankrijklei. The most note-worthy of the Renaissance style low reliefs decorating it is a depiction of Commerce by Jacques de Braeckeleer.

*I*mposant comme il convient à sa destination, le complexe triangulaire du siège anversois de la Banque Nationale, en pierre d'Euville, est l'œuvre néo-Renaissance du célèbre Henri Beyaert. Les pavillons d'angle qui s'apparentent à des tours accentuent le caractère monumental de la façade principale sur la Frankrijklei, que décorent des bas-reliefs d'inspiration Renaissance, notamment une évocation du commerce par Jacques de Braeckeleer.

*I*mposant in seinen Ausmaßen, wie es sich seiner Bestimmung geziemt, ist der dreieckige Komplex aus Steinen von Euville Sitz der Nationale Bank in Antwerpen. Das Gebäude im Neurenaissance-Stil wurde vom berühmten Architekten Hendrik Beyaert geschaffen. Die turmähnlichen Eckpavillons betonen den gewaltigen Charakter der Hauptfassade auf die Frankrijklei, die von Flachreliefs im Renaissance-Stil, insbesondere einer Darstellung des Handels von Jacques de Braeckeleer, geschmückt wird.

het museum
Ridder Smidt van Gelder

Om de plannen op te maken voor het huis, gelegen aan de Belgiëlei nummer 91, in opdracht van Ridder Smidt van Gelder (1875-1956), liet de architect Hertogs zich inspireren op de 18de-eeuwse Franse herenhuizen. Inmiddels is het huis eigendom van de stad en, sinds 1950, als museum van sierkunst uit de 18de eeuw voor het publiek geopend. Men kan er prachtige meubelstukken uit de tijd van Lodewijk XV en XVI, en Chinese porseleinen bewonderen.

Pour dresser les plans de la demeure, sise au numéro 91 de la Belgiëlei, que lui avait commandée le chevalier Smidt van Gelder (1875-1956), l'architecte Hertogs s'inspira des hôtels de maître français du XVIIIe siècle. Désormais propriété de la ville et depuis 1950 musée des Arts décoratifs du XVIIIe siècle, ses salles offrent au regard d'admirables collections de meubles d'époque Louis XV et Louis XVI ainsi que de porcelaines de Chine.

When designing the plans for the mansion at 91 Belgiëlei commissioned by the knight Smidt van Gelder (1875-1956) the architect Hertogs sought inspiration from French mansions of the 18th century. It is now owned by the city and has been a museum since 1950 housing an admirable collection of Louis XV and XVI period furniture as well as Chinese porcelain.

Bei der Erstellung der Pläne für das Wohngebäude Nummer 91 in der Belgiëlei, das der Ritter Smidt van Gelder (1875-1956) in Auftrag gegeben hatte, ließ sich der Architekt Hertogs von den französischen Herrenhäusern des 18. Jhs. inspirieren. Inzwischen ist das Gebäude Eigentum der Stadt und beherbergt seit 1950 das Museum für dekorative Künste des 18. Jhs. In den Sälen sind sehenswerte Sammlungen von Mobiliar aus der Epoche Ludwig XV. und Ludwig XVI. sowie chinesisches Porzellan ausgestellt.

de Zurenborg

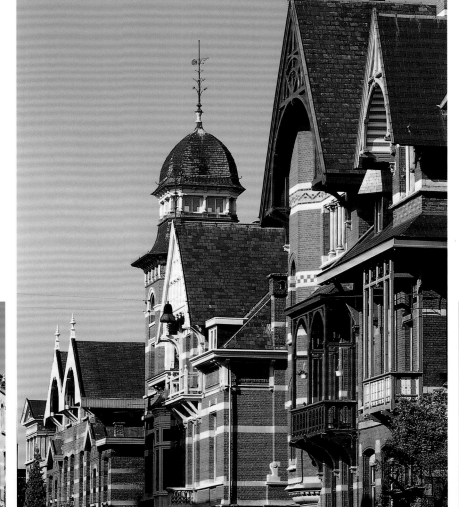

Bladzijden 138 tot 141.

Onder de regeerperiode van Leopold II waren de rijke Antwerpse burgers bijzonder verknocht aan die stijlen, die hen de mogelijkheid gaven hun voorspoed min of meer te afficheren. In de wijk Zurenborg, rond de Cogels-Osylei, getuigen de huizen van hun individualisme en een stijlvariëteit, die men bij gebrek aan een meer precise term, als 'eclectisch' bestempelt. De neorenaissance en de nieuwe Vlaamse tradionele stijl gaan hier samen met het neoromanisme en het neoflorentijnse, met enkele druppels Art Nouveau. Het uitzicht van deze gevels is vaak buitengewoon en prestigieus, zelfs wanneer zich dit binnen niet uitdiept, waar het vaak banale constructies blijken te zijn.

Pages 138 à 141.

Sous le règne de Léopold II, les riches bourgeois d'Anvers affectionnaient particulièrement les styles qui leur donnaient l'occasion d'afficher, en quelque sorte, leur prospérité. Dans le quartier du Zurenborg articulé autour de la Cogels-Osylei, les demeures témoignent de leur individualisme et de la variété d'un style que, faute d'un terme plus précis, on qualifie d'éclectique. Le néo-Renaissance et le néo-traditionnel flamand y voisinent le néo-roman et le néo-florentin, avec quelques percées d'Art Nouveau. L'effet produit par les façades est souvent extraordinaire et prestigieux même s'il ne se prolonge pas à l'intérieur, souvent banal, des constructions.

Pages 138 to 141.

During the reign of Leopold II wealthy Antwerpers favored domestic architectural styles displaying their prosperity. In the Zurenborg district around Cogels-Osylei the houses are testimony to their individualism and display a variety of styles which, for want of a beter term, is called eclectic. Neo-Renaissance houses and houses in neo-Flemish traditional style stand among neo-Romanesque and neo-Florentine, with a dash of Art Nouveau. The exteriors are quite extraordinary and imposing, qualities which do not extend to the often very ordinary interiors.

Seiten 138 bis 141

Unter der Herrschaft Leopold II. hatten die reichen Bürger von Antwerpen eine besondere Vorliebe für die Stilrichtungen, die ihnen die Möglichkeit gaben, ihren Wohlstand ge-wisser-maßen zur Schau zu stellen. Im Viertel Zurenborg diesseits und jenseits der Cogels-Osylei zeugen die Wohnhäuser von Individualismus und einer Stilvielfalt, die man in Ermangelung eines präziseren Fachbegriffs „eklektisch" nennt. Neu-renaissance und flämischer Neu-traditionalismus treffen hier auf den neuromanischen und neo-florentinischen Stil mit einem an einigen Stellen durchdringenden Jugendstil. Die von den Fassaden ausgehende Wirkung ist oft außergewöhnlich und wunderbar, selbst wenn sie sich im häufig gewöhnlichen Inneren der Bauwerke nicht fortsetzt.

CAROL·V·

de Beurs voor Diamanthandel

*A*l vijf eeuw lang is Antwerpen het belangrijkst internationaal centrum van de diamanthandel en -slijperij. Meer dan 60 % van de internationale diamantaire bedrijvigheid speelt zich hier af, zowel wat betreft de juwelierskunst als de industrie. Haar Beurs voor Diamanthandel, naast het Centraal Station, wordt bezocht door vertegenwoordigers van zo'n 1500 ondernemingen, die aan strikte en traditionele ethische regels onderworpen zijn. In de handelstransactiezaal ziet men enkele vlaggen van de 36 nationaliteiten van de leden van het instituut. Deze uitzonderlijke positie van de metropool, in een zeer concurrentiële markt, is te danken aan de knowhow en de geperfectioneerde uitruisting van de 250 Antwerpse slijpers en polijsters die over heel de wereld synoniem zijn met een ongeëvenaarde kwaliteit.

*F*or five centuries Antwerp has been the most important international centre for the sale and cutting of diamond. More than sixty percent of the world trade in diamonds is conducted here, both for jewel quality and industrial diamonds. The Diamonds Market near the central station is frequented by representatives of some 1500 firms who observe strict and traditional ethical rules. In the trading room are flags of some of the thirty-six different nationalities of the members of the institution. The exceptional role of the Metropolis in this highly competitive market is due to the expertise and the state-of-the-art equipment of the 250 Antwerp diamond cutters and polishers who are considered synonymous with unequaled perfection in their craft.

*D*epuis cinq siècles, Anvers est le centre international le plus important du commerce et de la taille du diamant. Plus de soixante pour cent de l'activité diamantaire mondiale s'y déroule, tant en ce qui concerne le diamant de joaillerie qu'industriel. Sa Bourse du Diamant, voisine de la Gare centrale, est fréquentée par les repésentants de quelque 1500 firmes qui obéissent à des règles éthiques aussi strictes que traditionnelles. Dans la salle des transactions, des drapeaux rappellent quelques-unes des trente-six nationalités des membres de l'institution. Cette position exceptionnelle de la Métropole, dans un marché très concurrentiel, est due au savoir-faire et à l'outillage perfectionné des 250 tailleurs et polisseurs de diamant anversois qui, de par le monde, sont synonyme d'une perfection inégalée.

*S*eit fünf Jahrhunderten ist Antwerpen das bedeutendste internationale Zentrum für Diamantenhandel und Diamantenschnitt. Mehr als sechzig Prozent des weltweiten Geschäfts sowohl mit Schmuck- als auch mit Industriediamanten werden hier abgewickelt. Die Diamantenbörse in der Nähe des Hauptbahnhofes wird von Vertretern von etwa 1500 Unternehmen besucht, die strengen, traditionellen ethischen Regeln unterworfen sind. Im Börsensaal hängen einige der Fahnen der 36 Länder, aus denen die Mitglieder der Institution kommen. Die Stadt verdankt ihre Ausnahmeposition auf einem Markt mit starker Konkurrenz dem Know-how und der perfektionierten Ausstattung der 250 Antwerpener Diamantenschleifer und -polierer, die überall in der Welt für eine Qualität stehen, die ihresgleichen sucht.

het Centraal Station

*D*e nederige houten stulp die er na de voltooiing van de spoorwegverbinding Mechelen-Antwerpen stond, werd in 1898 met de nodige luister vervangen door het Centraal Station. Net zoals het station van Milaan, waarmee zij trouwens opvallend veel gelijkenissen vertoont, verwezenlijkt zij de versmelting van een metalen structuur met een glazen koepel. De gevel op het Koningin Astridplein bestaat uit twee achthoekige torens met een neobarokken koepel. De centrale koepel is op 60 meter hoogte geplaatst, en verspreidt het licht in de grote hal.

*O*pened to great acclaim in 1898 the new Central Station replaced the modest wooden building erected when the Mechelen-Antwerp line was first completed. The metal skeleton encased in glass is remarkably similar to that of Milan. The façade on Koningin Astridplein has two octagonal towers capped with neo-baroque cupolas. The central dome standing 60 meters above the floor illuminates the great hall.

*R*emplaçant un modeste édifice de bois édifié après l'achèvement de la liaison ferroviaire Malines-Anvers, la gare centrale fut inaugurée avec éclat en 1898. Tout comme celle de Milan qui lui ressemble de manière frappante, elle réalise le mariage d'une structure métallique et d'un bouclier de verre. La façade sur la Koningin Astridplein comporte deux tours octogonales sommées d'une coupole néo-baroque. Quant à la coupole centrale posée à soixante mètres du sol, elle dispense la lumière dans le grand hall.

*A*n der Stelle eines einfachen, nach Fertigstellung der Eisenbahnlinie Mecheln-Antwerpen errichteten Holzgebäudes wurde 1898 unter großem Aufsehen der Hauptbahnhof eingeweiht. Wie bei dem ihm auf frappierende Weise ähnelnden Bahnhof von Mailand gelingt die Verbindung einer Eisenkonstruktion mit einem Schutzdach aus Glas hier ganz hervorragend. Die Fassade zum Koningin Astridplein hin umfasst zwei achteckige Türme mit einer Kuppel in neubarockem Stil. Die sechzig Meter über dem Boden emporragende Hauptkuppel spendet der großen Halle Licht.

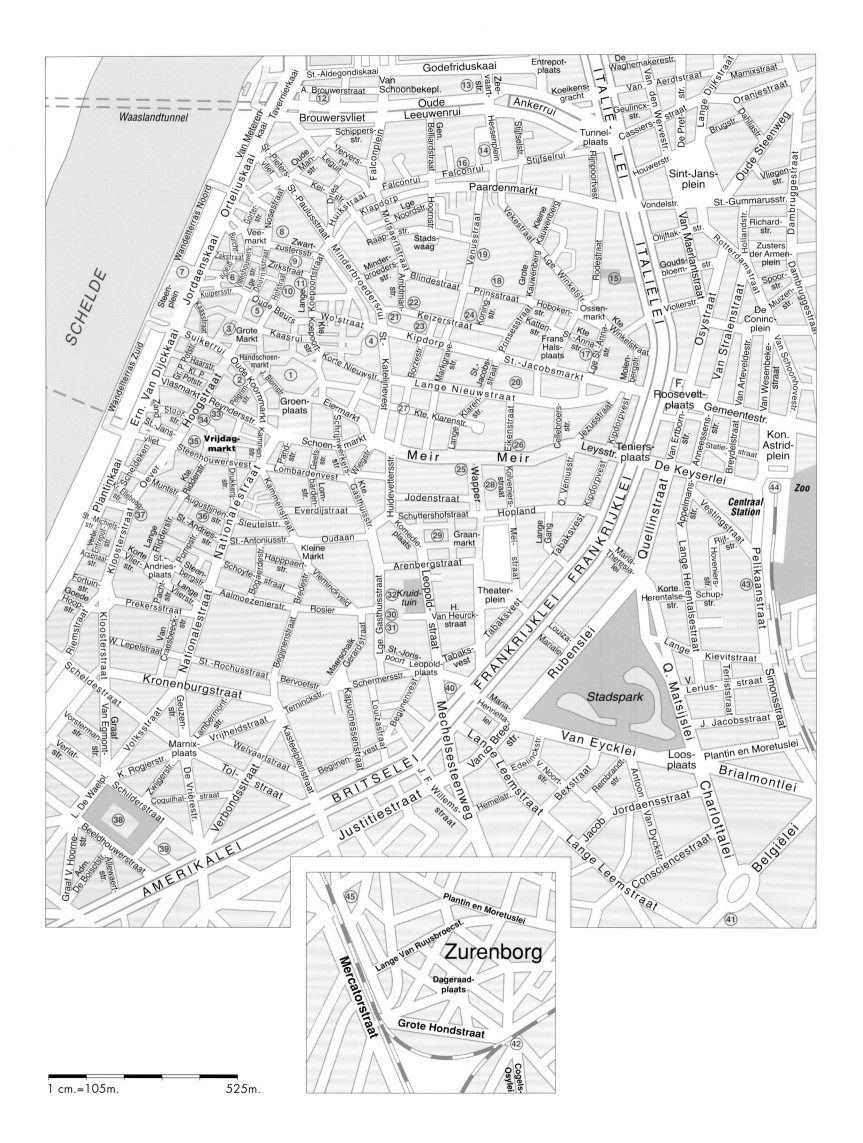

SCHELDE

Waaslandtunnel

St.-Aldegondiskaai
A. Brouwerstraat ⑫
Brouwersvliet
Schippers-str.
Yervers-rui
Leguit
Falconplein
Oude Man-str.
St.-Pieters-vliet
Oude-str.
Nosestraat
St.-Paulusstraat
Gorter-str.
Hukstraat
⑧
Zwart-zustersstr.
⑨
Zirkstraat
⑥
Doornikstraat
Lge. Sleeshouwers-str.
⑩ ⑪
Kuipersstr.
Vee-markt
Burchtstr.
Zakstraat
Lange Koepoortstr.
Oude Beurs
Wolstraat
Koepoortstr. Kaas-str.
③ Grote Markt
Kaasrui
Handschoen-markt
p. Haarstr.
① Postr.
② Kl. P.
⑤ Gr. Potstr.
Reyndersstr.
Pelgrim-str.
Groen-plaats
Eiermarkt
Schrijnwerkers-str.
④ St.-Katelijnevest
Kipdorp
Godefriduskaai

Van Schoonbekepl.
Oude Leeuwenrui
⑬
Paardenmarkt
Klapdorp
Lge. Noordstr.
Hoornstr.
Raap-str.
Minder-broeders-str.
Mutsaertstraat
Stads-waag
Blindestraat
⑲
⑱
Keizerstraat
Koning-str.
②③
④
Kipdorp
St.-Jacobsmarkt

SCALE

1 cm.=105m.   525m.

⑮
De Waghemakerstr.
Van Aerdtstraat
Marnixstraat
Oranjestraat
Sint-Jans-plein
Oude Steenweg
St.-Gummarusstr.

ITALIELEI

Zurenborg

Mercatorstraat

⑤

Plantin en Moretuslei
Lange Van Ruusbroecst.
Dageraad-plaats
Grote Hondstraat
④②

144

Bij dezelfde uitgever
Chez le même éditeur
By the same publisher
In demselben Verlag

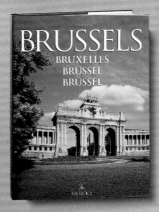

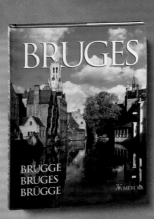

2001 © b.v.b.a. UITGEVERIJ MERCKX

Beeldhouwerslaan 145A, B-1180 Brussel

Avenue des Statuaires 145A, B-1180 Bruxelles

☏ 02/374.41.56

Fax 32/2/375.80.37

Photographer

VINCENT MERCKX

Pages 1, 10-11, 22, 128, 132, 143 : AIRPRINT
Page 115 : MUSEUM MAYER VAN DEN BERGH

Texts

GEORGES-HENRI DUMONT

Photoassistants

PHILIPPE MOLITOR

Nederlandse bewerking

ANN VANDAMME

English translation

SHEILA TESSIER-LAVIGNE

Deutsche Übertragung

DSDB

Photoengraving

TECHNISCAN (Grimbergen)

Printing

DANEELS (Beerse)

D-2000-0398-23

ISBN 90-74847-23-4